HEYNE ✗ KOCHBÜCHER

URSULA GRÜNINGER

GOLDGELB ÜBERBACKEN

Die 200 schönsten
pikanten und süßen Aufläufe

WILHELM HEYNE VERLAG
MÜNCHEN

HEYNE-BUCH Nr. 4262
im Wilhelm Heyne Verlag, München

Genehmigte, erweiterte Taschenbuchausgabe
Copyright © 1976 by Kochbuchverlag Heimeran KG, München
Printed in Germany 1978
Umschlagbild: Fotostudio Teubner, Füssen
Umschlaggestaltung: Atelier Heinrichs, München
Gesamtherstellung: Ebner, Ulm

ISBN 3-453-40246-4

Inhalt

Abkürzungen und Erläuterungen:
EL = Eßlöffel
TL = Teelöffel
Msp = Messerspitze
Alle Rezepte sind, soweit nicht anders angegeben,
für 4 Personen berechnet.

Einige grundsätzliche Ratschläge

Aufläufe sind warme gebackene Speisen, die aus verschiedenen Einlagen bestehen und ihre speziellen Vorzüge haben: Sie lassen sich schon am frühen Morgen in kurzer Zeit zubereiten, um mittags schnell in den Ofen geschoben zu werden. Sie stehen auf dem Speisezettel der Vielbeschäftigten, die bei wenig Zeit doch ein nahrhaftes und gesundes Gericht auftragen möchten. Sie sind dankbare Resteverwerter und strapazieren die Haushaltskasse nicht. Mit etwas Fantasie können sie auf viele und einfache Art und Weise abgewandelt werden. Man reicht sie als Hauptgericht und als Dessert. Es gibt sie in pikanter, salziger und süßer Form, aus Gemüse, Früchten, Kartoffeln, Teigwaren, Reis, Fleisch und Fisch.

Aufläufe spielen nicht nur in unserem Speisezettel, sondern auch als ›Gratin‹ in Frankreich und als ›Pie‹ in England und Amerika eine Rolle.

Jeder Auflauf ist in einer feuerfesten Form zu backen. Die Formen sind aus Jenaer Glas oder aus feuerfestem Porzellan. Es gibt hohe und flache, runde, viereckige, rechteckige und ovale, einfarbige und bunte Formen.

Die Auflaufform wird vor dem Füllen immer gut eingefettet und nach Belieben mit Semmelbröseln bestreut. Dies erleichtert das Lösen des Kochgutes.

Bei einer empfindlichen Auflaufmasse ist es ratsam, nur den Boden der Form zu fetten. Die Masse fällt beim Backen dann nicht zusammen.

Die Auflaufform ist nicht ganz voll zu füllen, denn meist geht die Masse beim Backen noch auf und würde dann über den Rand laufen.

Wird Eischnee verwendet, darf dieser nur unter die ausgekühlte Masse gemischt werden. Er lockert den Auflauf und fördert das Aufgehen während der Backzeit.

Kein Auflauf sollte zu schnell gebacken werden, es sei denn, es handle sich um einen Auflauf, der mit schon gegarten Zutaten hergestellt wird. Hier ist die Backzeit kurz. Sie reicht gerade zum Überbacken. Der Auflauf muß mehr Ober- als Unterhitze haben.

Bei Elektroherden muß der Backofen für die Aufläufe genau wie für Kuchen *immer* vorgeheizt werden. Was das Backen der Aufläufe im Gasherd betrifft, so ist dieser nur, wenn im Rezept vermerkt, vorzuheizen.

Damit die Aufläufe Farbe erhalten, werden sie zum Schluß der Backzeit mehr bei Ober- als bei Unterhitze gebacken.

Nimmt der Auflauf zu früh Farbe an, so kann die Hitze durch Überlegen eines eingefetteten Pergamentpapiers abgehalten werden.

Am Rande der Form haftende Fett- und Teigreste sollten nach dem Einfüllen entfernt werden. Diese Reste verbrennen während des Backens und machen die Form unansehnlich.

Jeder Auflauf ist sofort aufzutragen. Durch langes Stehen fällt er zusammen.

Die Backzeit und die erforderliche Hitze sind bei den Rezepten angegeben.

Gemüseaufläufe

Gemüse ist ein Nahrungsmittel, das wir, bedingt durch die Tiefkühlkost, das ganze Jahr über frisch kaufen können. Um es immer wieder anregend zu gestalten, läßt es sich als Auflauf vielfältig variieren. Bei den Gemüseaufläufen spielt die Weiße Sauce eine große Rolle. Sie kann mit wenigen Ausnahmen immer darüber verteilt und mit überbacken werden. Käse gibt auch hier, wie bei fast allen Aufläufen, den letzten Pfiff.
Als Beilage passen Kartoffeln in beliebiger Form, Teigwaren und Reis.

Frühlingsgericht

50 g Fett, 1 Zwiebel, 1 EL Mehl, 1 Paket Tiefkühlspinat (600 g), 100 g kleingeschnittener gekochter oder roher Schinken, Muskat, Salz, 1 Paket Kartoffelpüreepulver, ¹/₂ l Milch, ¹/₄ l Wasser, 200–250 g gedünstete Champignons, 2 EL kleingehackte Petersilie

Das Fett erhitzen, feingeschnittene Zwiebel glasig dünsten, Mehl darüberstäuben, den aufgetauten Spinat zugeben, Schinken unterrühren und würzen. Das Gemüse in eine gefettete Auflaufform füllen. Das Kartoffelpüree nach Vorschrift mit Wasser und Milch zubereiten, würzen und auf den Spinat einen Rand und ein Gitter spritzen. Champignons in die entstandenen Nestchen füllen, den Auflauf bei mittlerer Hitze etwa 20 Minuten überbacken. Mit Petersilie anrichten.
Wird für den Auflauf frischer Spinat verwendet, muß dieser gründlich gewaschen und in wenig kochendem Salzwasser kurz gekocht werden. Er muß nur zusammenfallen. Das Gemüse wird nach dem Abtropfen kleingehackt, nach Belieben mit einer hellen Einbrenne gebunden und mit Zwiebel, Gewürzen und Schinken, wie beschrieben, schmackhaft gemacht.

Grüner Eierkuchenauflauf

1 Paket tiefgefrorener, aufgetauter Rosenkohl, 4 EL Maiskörner, 100 g Schinken, Salz, Pfeffer, Muskatnuß, 4–6 Pfannkuchen, ¹/₄ l saure Sahne oder Kefir, 1 Ei, ungarisches Paprikapulver, leicht geröstete Zwiebelringe

Den Schinken in kleine Stücke schneiden und zusammen mit den Maiskörnern unter den aufgetauten Spinat rühren. Mit den Gewürzen abschmecken. Die Pfannkuchen mit der Spinatmasse bestreichen, aufrollen, in 5 cm dicke Stücke schneiden und diese umgekehrt, so daß man die Fülle sieht, in eine gefettete Auflaufform setzen. Sahne oder Kefir mit dem Ei vermischen, darübergießen und den Auflauf im vorgeheizten Backofen bei mäßiger Hitze etwa 30 Minuten backen. Mit Paprikapulver bestäuben und mit Zwiebelringen garnieren.

Gemüse im Püreerand

1 kleine Dose Erbsen und Karotten, 75 g Butter, 1 Paket Kartoffelpüreepulver, ¹/₄ l Milch, ¹/₂ l Wasser, 50 g geriebener Käse, Salz, Pfeffer, 150 g Mettwurst, 1 EL fein-geschnittener Dill und Dill zum Garnieren

Die Gemüse erhitzen, Flüssigkeit abgießen, in etwa 40 g Butter schwenken und würzen. Kartoffelpüree nach Anweisung mit Milch und Wasser zubereiten und mit Käse und Salz abschmecken. Die in Scheiben geschnittene Mettwurst daruntermischen. Das Kartoffelpüree ringförmig in eine gefettete Auflaufform füllen und in die Mitte das Gemüse geben. Mit Dill bestreuen, die restliche Butter als Flöckchen darauf verteilen und etwa 20 Minuten bei mittlerer Hitze überbacken. Mit Dill garnieren.

Grüner Auflauf

4 größere gekochte Kartoffeln, 300 g gemischtes Hackfleisch, 1 Zwiebel, 30 g Fett, Salz, Pfeffer, 100 g Hartkäse, 1 Paket Tiefkühlspinat (600 g), 1–2 Eier, 3–4 Käsescheiben

Die Kartoffeln schälen, in Scheiben schneiden und in eine gefettete Auflaufform geben. Das Hackfleisch mit der kleingeschnittenen Zwiebel im heißen Fett kurz anbraten, würzen, den kleingeschnittenen Käse unter den aufgetauten Spinat mischen und beides zufügen. Die verquirlten Eier darunterrühren und das Ganze über den Kartoffeln verteilen. Käsescheiben in Streifen schneiden, den Auflauf garnieren und im vorgeheizten Ofen etwa 20 Minuten backen.

Fritattenauflauf

6 dünne Eierkuchen, 1 große Packung Tiefkühlspinat (600 g), 200 g Schinkenwurst, 3 EL Sahne oder Dosenmilch oder restliche Bratensauce, Salz, Pfeffer, Muskat, 4 EL geriebener Käse

Die Eierkuchen in dünne Streifen schneiden und mit der in Würfel geschnittenen Schinkenwurst unter den aufgetauten Spinat mischen. Sahne unterrühren und mit den Gewürzen abschmecken. Spinatmasse in eine gefettete Auflaufform füllen und bei mittlerer Hitze 20 bis 30 Minuten backen.

Appenzeller Eierkutteln

6 feine Omelette (Pfannkuchen), Gemüsereste (Erbsen und Karotten), etwa 1/2 l Milch, 50 g Butter, 50 g geriebener Käse

Die Omelette zusammenrollen, in dünne Streifen schneiden und in eine flache, gefettete Gratinform geben. Gemüse darüber verteilen, Milch zugießen, mit Butterflöckchen belegen und mit Käse bestreuen. Das Gericht bei mittlerer Hitze im vorgeheizten Ofen etwa 20 Minuten backen.

Gebackener Spinat

1 kg Spinat oder 1 Paket Tiefkühlspinat (600 g), 50 g Butter, 250 g Sahnequark, 50 g in Würfel geschnittener, ausgelassener Speck, 2–3 Eier, 1 TL Kartoffelmehl, Salz, Pfeffer, 1 EL feingewiegtes Basilikum

Den Spinat verlesen, gut waschen, mit etwas Salz im eigenen Saft bei geringer Hitze dünsten und dann fein wiegen (oder den Tiefkühlspinat auftauen). Butter schaumig rühren und Quark, Speck, Eier und Kartoffelmehl daruntermischen. Spinat dazugeben, würzen und in eine gefettete Auflaufform füllen. Bei mittlerer Hitze 30 bis 35 Minuten backen. Mit Basilikum bestreuen. Dazu passen Butternudeln.

Schwetzinger Spargelauflauf

750 g Spargel, Salz, 1 Prise Zucker, 80–100 g Butter, 2 Eier, 1/4 l saure Sahne, 6 EL Semmelbrösel, 100 g roher Schinken, 100 g Krabben, Salz, Paprika, 1 Orange

Den Spargel waschen, schälen, in kleinere Stücke schneiden und in leichtem Salzwasser mit Zucker etwa 30 Minuten kochen. Die Hälfte der abgetropften Spargel in eine gefettete Auflaufform legen. Butter zergehen lassen, Eigelb, Sahne, Semmelbrösel, den kleingeschnittenen Schinken und den Eischnee unterziehen. Krabben und Gewürze zufügen. Einen Teil dieser Sauce darübergeben und mit dem restlichen Spargel und der restlichen Sauce abdecken. Den Auflauf bei mittlerer Hitze etwa 20 Minuten backen. Mit Orangenspalten garnieren. Dazu passen Kartoffeln oder Reis und Blattsalat.

Auflauf Lukull

*4 Schnitzel, Salz, 50 g Fett, 500 g Spargel, Salzwasser,
1/2 TL Zucker, 1/2 l Weiße Sauce (2 Beutel Saucenpul-
ver), 1 Eigelb, Zitronensaft, 1 Prise weißer Pfeffer, 1
Sträußchen kleingehackte Petersilie, 50 g geriebener Käse,
Butterflöckchen*

Die Schnitzel etwas breit drücken, salzen, in dem heißen Fett
beidseitig halbfertig 4 bis 5 Minuten braten und in eine gefet-
tete Auflaufform legen. Spargel schälen, holzige Teile
abschneiden, waschen, in kleinere Stücke schneiden und in
Salzwasser mit dem Zucker 20 bis 30 Minuten weich kochen.
Die abgetropften Spargelstücke in die würzig mit Zitronensaft
und Pfeffer abgeschmeckte Weiße Sauce geben und über die
Schnitzel verteilen. Petersilie darüberstreuen. Das Ganze mit
Käse und einigen Butterflöckchen versehen und bei mittlerer
Hitze etwa 15 Minuten überbacken. Dazu paßt Curryreis.

Gefüllte Kohlrabi in grüner Sauce

*6–8 junge Kohlrabi, Salzwasser, 1 Sträußchen Petersilie,
1 Zwiebel, 3 altbackene Brötchen, 2 Eier, Salz, Muskat,
Majoran, 1/4–1/2 l Weiße Sauce (evtl. aus Beuteln),
Kapern, 3–4 EL geriebener Käse*

Die Kohlrabi schälen, halbieren, in Salzwasser mit den Herz-
blättern garen und leicht aushöhlen. Das Kohlrabifleisch mit
der kleingehackten Petersilie und der Zwiebel, den eingeweichten, ausgedrückten und zerkleinerten Brötchen, Eiern
und Gewürzen vermischen und in die Kohlrabi füllen. Diese
in eine feuerfeste Form stellen. Die Weiße Sauce mit den feingewiegten Herzblättchen und den Kapern darübergießen. Den
Auflauf mit Käse bestreuen und bei mittlerer Hitze 10 bis 15
Minuten überbacken. Dazu passen Salzkartoffeln.

Rote Eierspeise

5 EL Pflanzenöl, 1 feingewiegte Zwiebel, 10 kleinere abgezogene Tomaten, Salz, Muskat, 40 g Mehl, 1/4 l Milch, 4 Eier, 100 g geriebener Käse, 1 Sträußchen Petersilie

Einen EL Öl erhitzen, Zwiebel glasig dünsten, die halbierten Tomaten hinzufügen und etwa 15 Minuten schmoren. Dieses Tomatenpüree abschmecken und in eine gefettete, flache Auflaufform füllen. Restliches Öl erhitzen, Mehl anschwitzen, langsam die Milch zugießen und unter Rühren zum Kochen bringen. Topf vom Herd nehmen, Eigelb und Käse unter die Sauce rühren, abschmecken, steifgeschlagenen Eischnee unterziehen und über das Tomatenpüree verteilen. Auflauf im vorgeheizten Ofen bei mittlerer Hitze etwa 30 Minuten backen. Mit kleingehackter Petersilie bestreuen. Dazu ein Tomatensalat und Knäckebrot.
Diese Speise kann auch in kleinen Förmchen gebacken und als Vorspeise, mit Toastbrot, serviert werden.

Italienischer Gemüseauflauf

2 Auberginen, 4 Zucchini, 2 Zwiebeln, Fett, 500 g Tomaten, 2 rote Paprikaschoten, Knoblauchpulver, je 1 EL frisch gehacktes Basilikum und Petersilie, Salz, frisch gemahlener schwarzer Pfeffer, 3 EL geriebener Parmesan, 50 g hell geröstete Speckwürfelchen

Die Auberginen waschen, evtl. schälen, in dicke Scheiben oder Würfel schneiden. Junge Zucchini gut waschen, nicht schälen, und in dünne Scheiben schneiden. Die Zwiebeln schälen und fein wiegen. Das Fett erhitzen, die Gemüsestücke und Zwiebelstücke dazugeben und etwa 7 Minuten dünsten. Tomaten waschen, abtrocknen, in Viertel schneiden. Paprikaschoten halbieren, Kerne und Scheidewände entfernen und in dünne Streifen schneiden. Tomatenviertel und Paprikaschotenstreifen dazugeben, mit etwas Knoblauchpulver würzen, mit Salz und Pfeffer aus der Mühle abschmecken, die Kräuter untermischen und in eine gefettete Auflaufform füllen. Im vorgeheizten Backofen bei mittlerer Hitze etwa 40 Minuten backen. Während der letzten 10 Minuten den Parmesankäse darüberstreuen und diesen zu ganz heller Farbe backen. Den Auflauf mit den darübergestreuten gerösteten Speckwürfelchen auf den Tisch bringen. Dazu gibt es Salzkartoffeln.

Gratinierter Blumenkohl

1 Blumenkohl, Salzwasser, 4 Tomaten, 40 g Butter, 1 Zwiebel, 30–40 g Mehl, ¼ l Brühe, ¼ l Milch, Salz, Pfeffer, 1 Eigelb, 50 g gekochter Schinken, 1–2 hartgekochte Eier, 2 EL kleingehackte Petersilie

Den Blumenkohl von Blättern und Strunk befreien, in kleinere Röschen zerlegen und diese in Salzwasser halbweich kochen. Röschen gut abgetropft im Wechsel mit den in Scheiben geschnittenen Tomaten in eine gefettete Auflaufform legen. Butter erhitzen, die feingewiegte Zwiebel glasig dünsten, Mehl zufügen, anschwitzen und mit Wasser und Milch aufgießen. Sauce 10 Minuten kochen, abschmecken, mit dem Eigelb legieren, kleingeschnittenen Schinken unterrühren und über das Gemüse verteilen. Im vorgeheizten Backofen bei mittlerer Hitze etwa 15 Minuten überbacken. Eier grob hacken, mit der Petersilie vermischen und über das Gericht streuen. Dazu passen Salz- oder Bratkartoffeln.

Auberginengericht aus dem Balkan

4 Auberginen, Salz, 5–6 EL Öl, 275 g Hackfleisch, 4 EL Tomatenmark, 2 Eigelb, 1 Tasse Milch, Semmelbrösel, Butterflöckchen

Die Auberginen waschen, in Scheiben schneiden, wenig salzen und 15 bis 20 Minuten auf die Seite stellen, damit die bitteren Stoffe herausziehen. Die abgetropften Auberginenscheiben in etwa 3 EL erhitztem Öl garen und in eine gefettete Auflaufform legen. Das Hackfleisch in dem restlichen Öl, unter Zugabe des Tomatenmarks, anrösten und über den Auberginen verteilen. Eigelb mit der Milch verquirlen, salzen und darübergießen. Mit Semmelbröseln bestreuen, mit Butterflöckchen belegen und bei mittlerer Hitze etwa 30 Minuten backen.

Tomaten-Salami-Auflauf

150 g Salami, 8 Fleischtomaten, 1 TL Kapern, frisch gemahlener schwarzer Pfeffer, Salz, 5 Eier, 1 Becher Hüttenkäse, 1 feingewiegte Zwiebel, 1 EL kleingehackte Petersilie, 3 EL Semmelbrösel

Salami in dünne Streifen schneiden und in eine gefettete Auflaufform geben. Tomaten gut waschen, trocknen, in Scheiben schneiden und ziegelartig darüberlegen. Kapern darauf verteilen und etwas salzen und pfeffern. Eier trennen, das Eigelb mit der feingewiegten Zwiebel und Petersilie sowie den Semmelbröseln unter den Hüttenkäse mischen und würzig abschmecken. Eiweiß steif schlagen und unter die grobkörnige Käsemasse rühren. Über den Tomaten in die Auflaufform geben. Dieses lecker schmeckende leichte Sommergericht bei guter Hitze etwa 20 Minuten zu schöner Farbe backen. Mit Gurkensalat an heißen Tagen gerade das Richtige.

Tomaten-Champignon-Gratin

500 g Fleischtomaten, 250 g Champignons, 250 g Makkaroni, Salzwasser, Selleriesalz, Basilikum, 1 Beutel oder 1 Schächtelchen Helle Sauce, ¼ l Milch, 1 Ecke Schmelzkäse, 30 g Butter, kleingehackte Petersilie

Die Fleischtomaten mit heißem Wasser überbrühen, dann die Haut abziehen und in Viertel schneiden. Die Champignons säubern, gut waschen, abtropfen lassen und blättrig schneiden. Die Makkaroni zerkleinern und in Salzwasser, dem ½ TL Öl beigefügt wird, garen. Eine gefettete Auflaufform im Wechsel mit den Tomatenvierteln, den abgetropften Makkaroni und den Champignons füllen. Dazwischen etwas Selleriesalz und Basilikum streuen.
Nach Anweisung eine Helle Sauce kochen, den zerkleinerten Schmelzkäse dazugeben und unter Rühren so lange weiterkochen, bis der Käse ganz geschmolzen ist. Die Sauce noch mit einem Stück Butter verfeinern und dann über den Auflauf gießen. Diesen im vorgeheizten Backofen bei Mittelhitze etwa 30 Minuten backen.

Tomatenauflauf

2 alte, in kleine Würfel geschnittene Brötchen, ½ l gekochtes Tomatenpüree, Salz, Pfeffer, Muskat, 30 g Butter, 1 feingewiegte Zwiebel, 4 EL geriebener Parmesankäse, 3–4 Eier, kleingehackte Petersilie

Die Brötchen mit dem frischgekochten, warmen, durchgesiebten Tomatenpüree übergießen, würzen und durchziehen lassen. Butter erhitzen, Zwiebel glasig dünsten, Käse, Eigelb und Petersilie zufügen und alles unter die Brötchenmasse rühren. Steifgeschlagenen Eischnee unterziehen, das Ganze in eine gefettete Auflaufform füllen und bei mittlerer Hitze 30 bis 40 Minuten backen. Dazu passen Bratkartoffeln oder körniger Reis.

Holländische Genießersteaks

4 Kalbssteaks, Öl, Salz, Pfeffer, 4 Scheiben gekochter oder roher Schinken, 4 dünne Pfannkuchen (Reste), ¹/₁₀ l Sahne, 4–6 Tomaten, Petersilie

Die Steaks nicht waschen, mit einem sauberen Tuch abreiben, mit Öl bestreichen, salzen und pfeffern, nach Belieben auch mit Senf bestreichen und ganz kurz, etwa 2 bis 3 Minuten auf beiden Seiten, in heißem Öl braten. Jedes Steak mit einer Scheibe Schinken belegen und in einen Pfannkuchen wickeln. Eine gefettete, flache Auflaufform damit füllen, Sahne zugießen und im vorgeheizten Ofen bei mittlerer Hitze etwa 10 Minuten backen. Mit Tomatenscheiben belegt und Petersilie garniert anrichten. Dazu passen Gemüsesalate.

Walliser Auflauf

8 kleinere, junge Fenchelknollen, Salzwasser, 1 EL Essig, 80 g Butter, 3–4 EL geriebener Käse, 1 Paket Kartoffelpüreepulver, ¹/₄ l Milch, ¹/₂ l Wasser, Salz, 2 EL Semmelbrösel, Butterflocken, 2 hartgekochte Eier, 1 EL gehackte Petersilie, 4 Sardellenfilets

Die Fenchelknollen putzen, waschen, halbieren (Fenchelgrün zurückhalten) und in Salzwasser, dem etwas Essig beigefügt wird, weich kochen. Gemüse mit dem Schaumlöffel herausnehmen, abtropfen lassen und in 50 g zerlassener Butter und Käse wenden. Eine gefettete Auflaufform mit dem nach Gebrauchsanweisung zubereiteten gewürzten Kartoffelpüree und den Fenchelknollen füllen. Semmelbrösel und Butterflocken darübergeben und den Auflauf bei mittlerer Hitze 25 bis 30 Minuten backen. Eier fein hacken, Petersilie und die kleingeschnittenen Sardellenfilets dazugeben, die restliche schäumend heiße Butter daruntermischen, über die Gemüse verteilen und das kleingehackte Fenchelgrün darüberstreuen.

Ungarische Paprikakartoffeln

750 g gekochte Kartoffeln, 6 Paprikaschoten, 50 g Fett, 4 Debrecziner Würstchen, 2–3 Eier, ¼ l Milch, ⅛ l saure Sahne, Salz, 1 Sträußchen feingewiegte Petersilie, Majoran, 1 EL geriebener Käse, Butterflöckchen

Die Kartoffeln schälen, in Scheiben und die entkernte, gewaschenen Paprikaschoten in Streifen schneiden. Fett erhitzen, Paprikaschoten etwa 10 Minuten dünsten, kleingeschnittene Würstchen und Kartoffeln dazugeben. Alles vermischen und in eine gefettete Auflaufform füllen. Eier mit Milch und Sahne sowie Salz, Petersilie und etwas geriebenem Majoran verrühren, über das Ganze verteilen, Käse darüberstreuen, mit Butterflöckchen belegen und bei mittlerer Hitze 20 bis 30 Minuten backen. Dazu grünen Salat.

Toad in the Hole
Englischer Roastbeef-Auflauf

4 Lendenscheiben (ca. 3 cm dick), 60 g Butter, Salz, Pfeffer, 250 g gedünstete Champignons, 185 g Mehl, 2 Eier, ⅜ l halb Milch, halb Wasser, 2 EL kleingehackte Petersilie, Worcestersauce

Die Fleischstücke von Fett und Haut befreien, abreiben, breitdrücken und in der heißen Butter auf beiden Seiten zu schöner Farbe anbraten. Das gebratene Fleisch in Streifen schneiden, in eine gefettete Auflaufform legen und nach Geschmack salzen und pfeffern. Die gewürzten Champignons darüber verteilen. Aus Mehl, Eiern, 1 Prise Salz, Milch und Wasser einen Eierkuchenteig rühren, Petersilie daruntermischen und mit Worcestersauce würzen. Diesen Teig über Fleisch und Pilze verteilen. Im vorgeheizten Ofen bei mittlerer Hitze etwa 30 Minuten backen.

Gemüse-Reste-Auflauf

2 Pfund gedünstetes Gemüse (Erbsen, Blumenkohl, Kohl-
rabi, Spargel, Bohnen, Auberginen usw.), 1 Sträußchen
feingehackte Petersilie, 1 TL Stärkemehl, 3 Eier, 1/4 l
Milch, Paprika, geriebener Käse, Butterflocken

Die Gemüse mit Petersilie dazwischen in eine gefettete, flache
Auflaufform geben. Die Eier mit dem Stärkemehl verquirlen,
Milch zugießen, mit Paprika würzen und über das Gemüse
verteilen. Reichlich Käse und Butterflocken darübergeben und
den Auflauf bei mittlerer Hitze 20 bis 30 Minuten backen.
Dazu passen Bratkartoffeln oder Teigwaren. Zu diesem Auflauf können zusätzlich kleingeschnittene Wurst- oder Fleisch-
reste verwendet werden.

Pilzauflauf

500 g Pfifferlinge oder andere Speisepilze, 500 g Tomaten,
1 Stange Porree (Lauch), 1/4 l Milch, 50 g Butter, Salz,
125 g Mehl, 2 Eier, 1 TL Backpulver, 1 EL kleingehackte
Petersilie oder Schnittlauch

Die Pfifferlinge säubern und mit den überbrühten, abgezoge-
nen, in kleine Stücke geschnittenen Tomaten in eine gefettete
Auflaufform geben. Porree in dünne Scheiben schneiden, kurz
in 20 g Butter dünsten und zufügen. Milch mit der restlichen
Butter und Salz zum Kochen bringen, Mehl unter Rühren
dazugeben und so lange weiterrühren, bis sich die Masse vom
Topf löst. Nach dem Erkalten die Eigelb, Backpulver und den
Eischnee darunterrühren und den Teig über das Gemüse in die
Form geben. Das Gericht bei mittlerer Hitze etwa 30 Minuten
backen. Dazu passen eine Buttersoße und Salat.

Zwiebelauflauf

300 g Zwiebeln, Salzwasser, 80 g geriebener Käse, 2 Schächtelchen Helle Sauce, ³/₈ l Milch, 1 Eigelb, 2 EL kleingeschnittener Schnittlauch

Die Zwiebeln schälen, in Scheiben schneiden und in Salzwasser so lange kochen, bis sie weich sind. Abgetropft in eine gefettete Auflaufform legen. Den geriebenen Käse darüber verteilen. Die Helle Sauce nach Anweisung mit der hier angegebenen Milchmenge zubereiten, mit dem Eigelb verfeinern. Schnittlauch daruntermischen und über die Zwiebeln gießen. Den Auflauf bei Mittelhitze etwa 15 Minuten überbacken.

Chinesisches Ragout

1 Zwiebel, 1 Knoblauchzehe, 25 g Schweineschmalz, 250 g in sehr kleine Würfel geschnittenes Schweinefleisch, Salz, Pfeffer, Curry, ¹/₁₀ l Brühe, 2–3 Tomaten, 1 Staude chinesischer Kohl, Salzwasser, 3 EL saure Sahne, 3 EL Tomatenmark, Sojasauce, geriebener Käse

Die kleingeschnittene Zwiebel und zerdrückte Knoblauchzehe in dem erhitzten Fett glasig dämpfen. Fleischstücke, Gewürze und Brühe dazugeben und fünf Minuten bei geringer Hitze leise dünsten. Tomaten in Scheiben, die Kohlstaude in kleine Stücke schneiden und letztere in Salzwasser kurz dünsten. Eine gefettete Auflaufform mit dem Fleisch, Tomatenscheiben und abgetropftem Chinakohl füllen. Sahne, Tomatenmark und etwas Sojasauce verrühren, über den Kohl gießen und, was ihn besonders schmackhaft macht, mit reichlich Käse bestreuen. Das Gericht bei mittlerer Hitze backen, bis es eine schöne Kruste hat. Die Backzeit beträgt etwa 20 Minuten. Dazu kann eine Sauce nach Geschmack gereicht werden.

Feiner Sellerieauflauf

3 kleine Sellerieknollen, Salzwasser, 100 g gekochter Schinken, 200 g angebratenes Hackfleisch oder gehackte Bratenreste, 80 g Butter oder Margarine, 3 Eier, 1/8 l saure Sahne, Salz, abgeriebene Zitronenschale, Muskat, Paprika, 1 EL kleingeschnittener Schnittlauch

Die Sellerieknollen waschen, schälen, in Scheiben schneiden und in Salzwasser garen. Kleingeschnittenen Schinken, Hackfleisch oder Bratenreste daruntermischen und in eine gut gefettete Auflaufform füllen. Fett schaumig rühren, Eigelb, Sahne und Gewürze zufügen, steifgeschlagenen Eischnee unterziehen und alles über dem Gemüse verteilen. Auflauf bei mäßiger Hitze 35 bis 40 Minuten backen und mit Paprika und Schnittlauch bestreut auftragen. Dazu passen Salzkartoffeln.

Ländlicher Porreeauflauf

1 kg gekochte Kartoffeln, 250 g Tomaten, 250 g enthäutete Landleberwurst, 6 Stangen Porree (Lauch), Salz, 3 Eier, 3/8 l Milch, Pfeffer, 2 EL geriebener Käse, 100 g dünne Speckscheiben

Die Kartoffeln schälen und wie die Tomaten und die Leberwurst in Scheiben schneiden. Porree von Wurzeln und Blättern befreien und in schmale Rädchen schneiden. Diese Zutaten in beliebiger Reihenfolge mit etwas Salz in eine gefettete Auflaufform füllen. Die Eier mit der Milch verquirlen, Pfeffer und Käse dazugeben und darüber verteilen. Das Ganze mit Speckscheiben bedecken und bei mittlerer Hitze etwa 40 Minuten backen.

Porree im Schinkenmantel

6–8 Stangen Porree (Lauch), 6–8 Scheiben gekochter Schinken, 2 Päckchen Weiße Sauce, 1/2 l Brühe, Kräutersenf

Die grünen Blätter und die Wurzelenden von den Porreestangen in Schinken einwickeln und alle nebeneinander in eine gefettete Auflaufform legen. Nach Anweisung eine Weiße Sauce kochen, mit Senf abschmecken und über das Gemüse geben. Das Gericht mit einem Pergamentpapier abdecken und 20 Minuten bei mittlerer Hitze backen. Das Papier nach 10 Minuten entfernen. Dazu passen Reis, Teigwaren oder Salzkartoffeln.

Überbackener Fenchel

4–6 Knollen Fenchel, Salz, Zitronensaft, 150–200 g Corned beef, 3/8 l Fenchelbrühe, 40 g Butter, 30 g Mehl, 1 Tasse Sahne, 2 EL Tomatenmark, 40 g geriebener Käse, Salz, Muskat

Die Fenchelknollen putzen, waschen, halbieren oder vierteln und in kochendem Salzwasser, dem etwas Zitronensaft zugefügt wird, 15 bis 20 Minuten kochen. Das Gemüse abgetropft in eine gefettete Auflaufform legen und das mit etwa 1/8 Liter Brühe erhitzte Corned beef darüber verteilen. Die Butter erhitzen, Mehl anschwitzen und mit der restlichen Fenchelbrühe ablöschen. Diese Sauce mit der Sahne, Tomatenmark und Käse verfeinern, mit Salz und Muskat abschmecken und über das Gemüse gießen. Das Gericht bei mittlerer Hitze im Backofen 20 bis 30 Minuten backen. Dazu passen Bratkartoffeln, Teigwaren oder Reis.

Italienischer Fenchelauflauf

*6–8 kleinere Fenchelknollen, Salzwasser, Zitronensaft,
50 g Butter, geriebener Käse, 3 EL Semmelbrösel, 2 hartgekochte Eier, 3 EL kleingehackte Petersilie, 4 Sardellenfilets*

Die Fenchelknollen säubern, waschen, halbieren und in Salzwasser mit etwas Zitronensaft weich kochen. Mit dem
Schaumlöffel herausnehmen, abtropfen lassen, mit zerlassener
Butter beträufeln und in geriebenem Käse wenden. Gemüse in
eine gefettete Gratinform legen, mit Semmelbröseln bestreuen
und im Backofen zu heller Farbe backen. Die Backzeit beträgt
etwa 15 Minuten. Eier fein hacken, Petersilie zugeben, Sardel-
len in kleine Stückchen schneiden und alles über das Gemüse
verteilen. Dazu gibt es Brat- oder Salzkartoffeln.

Karottenauflauf

*6 Karotten, 3 grüne Paprikaschoten, 1 größere Zwiebel,
Salz, Pfeffer, 1/4 l Milch, 3 Eier, 2 EL geriebener Käse*

Die Karotten gut waschen, möglichst unter fließendem Wasser, dann dünn schaben und fein raffeln. Die Paprikaschoten
aufschneiden, die Kerne und Scheidewände entfernen, gut
waschen und in dünne Streifen schneiden. Eine Auflaufform
fetten und mit den Karotten und Paprikaschoten füllen. Salz
und Pfeffer dazwischenstreuen. Die Zwiebel schälen, fein wiegen und darübergeben. Milch, Eier und geriebenen Käse gut
vermischen und über den Auflauf gießen. Diesen in den vorgeheizten Backofen schieben und bei Mittelhitze etwa 40
Minuten backen. Dazu gibt es Teigwaren.

Wirsingauflauf

1 kg Wirsing, Salzwasser, 40 g Fett, 1 Zwiebel, 3 rohe Kartoffeln, 2 Tassen Reis, Salz, Paprika, 1–2 Eier, 1 EL gewürfelter Schinken, $^1/_8$ l Fleischbrühe, 1 EL saure Sahne oder Buttermilch, Reibkäse, 1 Sträußchen Petersilie

Die Außenblätter, den Strunk und die dicken Blattrippen vom Wirsing entfernen, die Blätter waschen und in Salzwasser weich kochen. Die abgetropften Blätter grob wiegen oder durchpassieren. Fett erhitzen, kleingeschnittene Zwiebel glasig dünsten, Wirsing zugeben und mit den geschälten, geriebenen Kartoffeln binden. Reis waschen, körnig kochen und auf einem Sieb abtropfen lassen, würzen und mit dem Wirsing lagenweise in eine gefettete Form füllen. Eier verquirlen, Schinken, Fleischbrühe und Sahne dazugeben und alles über den Wirsing gießen. Mit Käse bestreuen und bei mittlerer Hitze 20 bis 30 Minuten backen. Mit kleingehackter Petersilie bestreuen. Dazu passen beliebige Würstchen.

Kraut im Kartoffelrand

$^1/_2$ kg Weißkraut, 2 Äpfel, 60 g Schweineschmalz, $^1/_4$ l Brühe oder Weißwein, Salz, Essig, Zucker, 2 EL Tomatenmark, Kartoffelpüreerest, geriebener Käse, $^1/_8$ l Sahne

Das Weißkraut von den äußeren Blättern befreien, klein schneiden oder hobeln. Äpfel schälen, in kleine Würfel schneiden und in heißem Fett andünsten. Kraut und Brühe zugeben, gut umrühren, mit Salz, Essig und Zucker würzen und garen. Zuletzt das Tomatenmark daruntermischen. Das Kartoffelpüree ringförmig in eine gefettete Auflaufform geben und in die Mitte das Kraut füllen. Käse darüberstreuen, Sahne zugießen und bei mittlerer Hitze etwa 30 Minuten backen.

Kohlauflauf mit Eiern

1 Weißkohl oder Wirsing (etwa 750 g), Salzwasser, 250 g Hackfleisch, 1 Ei, 1 altbackenes Brötchen, 1 EL feinge-wiegte Petersilie, Salz, Pfeffer, Worcestersauce, 2 hartge-kochte Eier, 1/8 l Fleischbrühe, übriggebliebenes Kartof-felpüree.

Von dem Kohl die Blätter ablösen, waschen und in Salzwasser halbweich kochen. Die abgetropften Blätter grob oder fein wiegen und die Hälfte in eine gefettete Auflaufform geben. Hackfleisch mit Ei, dem eingeweichten, ausgedrückten Bröt-chen, Petersilie und Gewürzen vermischen. Die Fleischmasse auf das Kraut verteilen und mit Eischeiben und dem restlichen Kohl abdecken. Fleischbrühe darübergießen, mit Kartoffelpü-ree überziehen und das Ganze bei guter Mittelhitze 45 bis 60 Minuten backen.

Überbackenes bayerisches Schmankerl

1 Zwiebel, 1 EL Fett, 1 Dose gedünstetes Sauerkraut, 1/4 l saure Sahne, 2 TL Tomatenketchup, 4 kleinere Schweinerippchen, etwas flüssige Knoblauchwürze, 1/4 l Würfelbrühe, 2 Eier, 3 EL geriebener Käse

Die Zwiebel schälen, in Scheiben schneiden und in dem heißen Fett glasig dünsten. Sauerkraut mit einer Gabel lockern, dazu-geben und erhitzen. Die Rippchen mit nur einem Hauch flüssi-ger Knoblauchwürze einreiben und in eine gefettete Auflauf-form legen. Darüber das Sauerkraut verteilen. Sahne mit Tomatenketchup verrühren, die verquirlten Eier und den Käse daruntermischen und über das Schmankerl gießen. Den Auf-lauf im vorgeheizten Backofen bei mittlerer Hitze etwa 20 Minuten überbacken.

Rosenkohlauflauf

500–750 g Rosenkohl, Salzwasser, 30–40 g Butter, 30 g Mehl, 1/4 l Gemüsebrühe, 1/8 l Milch, 1 Ecke Schmelzkäse, Salz, Muskat, 250–300 g Mettwurst

Rosenkohl vorbereiten, waschen und in Salzwasser garen. Zur Sauce Mehl in Butter hell anschwitzen, mit Gemüsebrühe und Milch ablöschen, kleingeschnittenen Käse zufügen und die Sauce 10 Minuten kochen lassen. Mettwurst in Scheiben schneiden, zu dem abgetropften Rosenkohl geben, abschmekken und in eine gefettete Auflaufform füllen. Die Sauce darüber verteilen und den Auflauf bei mittlerer Hitze 20 bis 30 Minuten backen. Dazu passen Salzkaroffeln.

Überbackener Grünkohl

1 Grünkohl, Salzwasser, 125 g Räucherspeck, 1 Zwiebel, 250 g gekochtes Suppenfleisch (Rest), Salz, Pfeffer, Muskat, 2 Tassen Fleischbrühe, 3 EL Semmelbrösel, 30 g Butter, 4 Eier, Paprika

Die Blätter des Kohls mit heißem Salzwasser überbrühen und, wenn etwas erkaltet, in feine Streifen schneiden oder wiegen. Speck in kleine Würfel schneiden, anbraten, feingewiegte Zwiebel zugeben, leicht bräunen und mit dem kleingeschnittenen Suppenfleisch unter den Kohl mischen. Diesen pikant würzen, in eine gefettete Auflaufform füllen, Fleischbrühe zugießen, Semmelbrösel darüberstreuen, mit Butterflöckchen belegen und bei guter Hitze 30 bis 40 Minuten garen. Während der letzten 10 Minuten die verquirlten, gewürzten Eier darübergeben und backen, bis sie stocken. Mit Paprika bestäuben. Dazu passen Salz- oder Bratkartoffeln.
Statt Grünkohl kann auch Wirsing verwendet werden.

Siebenbürger Sauerkrautauflauf

1 Paket Kartoffelpüreepulver, 1/4 l Milch, 1/2 l Wasser, Salz, 3–4 EL geriebener Käse, 100 g in feine Scheiben geschnittener Speck, 2 EL Schweineschmalz, 750 g Sauerkraut, 3 Äpfel, 1/4 l saure Sahne, 250 g gekochtes Pökelfleisch

Kartoffelpüree nach Vorschrift mit Milch und Wasser zubereiten und mit Salz und Käse würzen. Eine Auflaufform mit den Speckscheiben auslegen und eine Schicht Kartoffelbrei darauffüllen. Schmalz erhitzen, mit einer Gabel gelockertes, trockenes Sauerkraut und die geschälten, feingeschnittenen Äpfel sowie die Sahne zugeben und zugedeckt auf kleiner Flamme etwa 30 Minuten kochen. Kleingeschnittenes Pökelfleisch unter das Kraut mischen, dieses auf das Kartoffelpüree verteilen und mit dem restlichen Kartoffelpüree abdecken. Den Auflauf im vorgeheizten Backofen bei mittlerer Hitze etwa 45 Minuten backen.

Polnisches Sauerkrautgericht

125 g durchwachsener Speck, 500 g Knoblauchwurst, 60 g fetter Speck, Paprika, 750 g Sauerkraut, 1 Lorbeerblatt, 1 Prise Zucker, Salz, Essig, 500 g rohe, 100 g gekochte Kartoffeln, 1 Ei, 50 g Kartoffelmehl, Salz, 1/4 l saure Sahne, 1/2 l Päckchen Backpulver

Den durchwachsenen Speck in Würfel und die von der Haut befreite Wurst in Scheiben schneiden. Den fetten Speck ebenfalls in kleine Würfel schneiden, auslassen. Die anderen Speckwürfel und Wurstscheiben kurz darin erhitzen, den Topf vom Herd nehmen und den Speck mit Paprika würzen. Das mit einer Gabel gelockerte Sauerkraut in wenig Wasser mit einem Lorbeerblatt, einer Prise Zucker, Salz und einem Schuß Essig garen. Die rohen und gekochten Kartoffeln reiben, mit Ei, Kartoffelmehl, Salz, etwa einem EL saurer Sahne und Backpulver zu einem glatten Teig kneten. Diesen in eine gefettete Auflaufform legen und darauf im Wechsel Kraut, Speck und Wurst füllen. Mit Kraut abdecken. Restliche Sahne darübergießen und den Auflauf bei mittlerer Hitze 45 bis 50 Minuten backen.

Südtiroler Auflauf

3 Stauden Brokkoli, 100 g gekochter Schinken, 1/2 l Milch, 80 g Butter oder Margarine, 1 Prise Salz, 175 g Mehl, 4 Eier, 125 g geriebener Parmesankäse, 2 EL klein-geschnittener Schnittlauch, einige Tropfen Tabascosauce, Muskatnuß, 1 EL Mandelblättchen

Den unteren Teil der Brokkolistangen etwas kürzen, das Gemüse gut waschen und in Salzwasser ca. 15 Minuten weich kochen. Brokkoli etwas zerkleinern, den Schinken in feine Streifen schneiden und in eine gefettete Auflaufform geben. Milch, Fett und die Prise Salz zum Kochen bringen, das Mehl auf einmal hineingeben, sehr gut umrühren und so lange wei-terrühren, bis sich das Mehl von dem Topf löst. Kurz abküh-len lassen, Eigelb, geriebenen Käse und Schnittlauch untermi-schen, mit Tabascosauce und Muskatnuß nach Geschmack wür-zen. Eiweiß steif schlagen, unter den Teig heben, diesen über die Brokkoli verteilen, Mandelblättchen darüberstreuen und den Auflauf bei mittlerer Hitze, im letzten Drittel bei guter Hitze, etwa 45 Minuten backen. Dazu paßt Tomaten- oder Blattsalat.

Ungarisches Tomatenkraut

200 g in dünne Scheiben geschnittener Speck, 750 g gegartes, mit einer dunklen Einbrenne gebundenes Sauerkraut, 4 Tomaten, 3 Eier, 1/8 l Weißwein, 3 Scheiben Käse

Die Hälfte der Speckscheiben in eine gefettete Auflaufform legen. Darüber die Hälfte des Krautes und die in Scheiben geschnittenen Tomaten geben. Mit dem restlichen Kraut und zuletzt mit den Speckscheiben abdecken. Eier mit Weißwein verquirlen und über den Auflauf gießen, Käse in Würfelchen schneiden, darüber verteilen und den Auflauf bei mittlerer Hitze 20 bis 30 Minuten backen. Dazu ein Stück Schwarzbrot. Statt Kartoffeln können auch abgekochte Teigwaren oder handgemachte Spätzle verwendet werden.

Brokkoli-Auflauf

3–4 Stauden Brokkoli oder 2 Pakete tiefgekühlten Brokkoli, Salzwasser, 1 Kalbshirn, 1 Päckchen Tomatensauce, 1/4 l Brühe, Dosenmilch, 3 EL griebener Käse, Tabascosauce, 1 hartgekochtes Ei, 1 Sträußchen Petersilie

Den unteren Teil der Brokkolistangen kürzen. Gemüse gut waschen, in Salzwasser garen und abgetropft in eine gefettete Auflaufform geben. Hirn in lauwarmes Wasser legen, häuten und fünf Minuten auf einem Sieb in kochendes Salzwasser tauchen. Nach dem Abkühlen in Scheiben schneiden und auf das Gemüse verteilen. Nach Vorschrift eine Tomatensauce kochen, mit geriebenem Käse und einigen Tropfen Tabascosauce würzen und darübergießen. Auflauf im vorgeheizten Ofen etwa 15 Minuten überbacken. Mit kleingehacktem Ei und Petersilie bestreuen. Dazu Salzkartoffeln.

Gratiniertes Linsengericht

1 Dose Linsen, 1 Porree (Lauch), 2 Tassen Langkornreis,
Streuwürze, 1 kleine Dose Schweinegulasch, Meerrettich,
Salz, Pfeffer, Essig, Curry, 1 Tomate, 2 EL kleingehackte
Petersilie, einige Kapern

Die Linsen auf einem Sieb abtropfen lassen. Porree säubern
und das Weiße in Scheiben schneiden. Unter die Linsen mischen. Reichlich Wasser mit Streuwürze zum Kochen bringen,
den gewaschenen Reis dazugeben, die Hitze reduzieren und 15
Minuten quellen lassen. Das Gulaschfleisch erhitzen. Die Linsen mit Meerrettich, Salz, Pfeffer und Essig nach Geschmack
würzen und in eine gefettete Auflaufform geben. Darüber das
Gulaschfleisch verteilen. Den mit kaltem Wasser abgeschreck-
ten und abgetropften Reis mit Curry würzen und die Auflaufform damit füllen. Das Gericht im vorgeheizten Backofen bei
guter Hitze etwa 15 Minuten überbacken. Die Tomate waschen, vierteln, die Kerne entfernen und den Auflauf mit den
Stücken garnieren. Petersilie und Kapern auf den Tomaten
verteilen. Geriebenen Käse gesondert dazu servieren.

Schwarzwurzeln mit Parmesankäse überbacken

1–2 altbackene Brötchen, Butter, 750 g Schwarzwurzeln,
Salzwasser mit etwas Essig, 1/4 l Bratensauce, 4 kleine
Schweinswürstchen, 50 g geriebener Parmesankäse,
1–2 EL Semmelbrösel, Butterflöckchen

Die Brötchen in Scheiben schneiden, mit Butter bestreichen
und in eine gefettete Auflaufform legen, das geputzte, kleingeschnittene und in Salzwasser gegarte Gemüse daraufgeben.
Bratensauce darübergießen, mit den Schweinswürstchen belegen, mit Käse, Semmelbröseln und mit Butterflöckchen
bestreuen. Den Auflauf bei mittlerer Hitze 20 bis 30 Minuten
goldbraun überbacken. Dazu passen Teigwaren oder Salzkartoffeln.

Maisauflauf mit Champignons

1–2 Zwiebeln, 2–3 EL Maiskeimöl, ¹/₂ l Wasser, 2 Päck-
chen Helle Sauce, 1 Dose Maiskörner, 285 g Einwaage, 1
Dose Champignons, blättrig geschnitten, 455 g Einwaage,
2–3 EL kleingehackte Petersilie, 2 Eier, 2 Brat- und Grill-
Scheibletten

Die Zwiebeln schälen, in Ringe schneiden und in dem heißen
Öl glasig dünsten. Wasser zugießen, zum Kochen bringen,
Helle Sauce einstreuen und einmal aufkochen lassen. Die
abgetropften Maiskörner und Champignons daruntermischen,
ebenso die Petersilie, und in eine gefettete Auflaufform füllen.
Eier verquirlen, darüber verteilen, Scheibletten in Dreiecke
schneiden, darauflegen und den Auflauf im vorgeheizten
Backofen bei guter Hitze etwa 30 Minuten backen. Dazu gibt
es Teigwaren oder körnig gekochten Reis.

Chicorée-Gratin I

4–6 Stangen Chicorée, Salzwasser, Zitronensaft, 350 g
Bratwurstbrät, 1 Zwiebel, 20 g Fett, ¹/₄ l Dosenmilch
oder Sahne, Butterflöckchen, 1 Ecke Schmelzkäse

Die äußeren Blätter von den Chicoréestangen entfernen, den
unteren Keil etwa ¹/₂ cm dick abschneiden und den bitteren
Kern möglichst tief herausschneiden. Das Gemüse in Salzwasser unter Zugabe von etwas Zitronensaft etwa 20 Minuten
kochen. Die abgetropften Stangen in kleinere Stücke schneiden
und in eine gefettete Auflaufform geben. Darüber das Bratwurstbrät, die glasig gedämpften Zwiebelstückchen sowie die
Dosenmilch verteilen. Butter- und Käseflöckchen daraufsetzen
und die Speise etwa 20 Minuten bei mittlerer Hitze überbak-
ken. Dazu Kartoffelpüree.

Chicorée-Gratin II

4 Chicoréestauden, 60 g Fett, 1 TL Zucker, ½ l Würfel-
brühe, 4 Scheiben gekochter Schinken oder Schweinebra-
ten, 1 Becher saure Sahne, 1–2 TL Tomatenketchup,
Sherry, 1 EL geröstete Mandelstifte

Die äußeren Blätter der Chicorée entfernen, unteren Keil etwa
½ cm dick abschneiden und den bitteren Kern tief herausschneiden. Gemüse waschen und abgetropft in das heiße Fett
mit Zucker vermischt geben und braun schmoren. Einige Male
wenden, dann Würfelbrühe zugießen und etwa 20 Minuten
dünsten. Die Chicorée herausnehmen, in je eine Scheibe
Schinken wickeln oder auch uneingepackt in eine gefettete
Auflaufform legen. Wird Schweinefleisch verwendet, dann
wird es in Streifen geschnitten und darüber verteilt. Koch-
brühe darübergießen. Saure Sahne verquirlen, Tomatenketchup dazugeben und den Auflauf damit abdecken. Im vorgeheizten Backofen bei Mittelhitze etwa 30 Minuten backen. Vor
dem Anrichten den trockenen Sherry und die gerösteten Mandeln daraufgeben.

Pariser Bohnengericht

500 g weiße Bohnen, Salz, Pfeffer, 100 g Speck, Bratenre-
ste, Bratensauce, 3 EL Tomatenketchup, 2–3 EL Semmel-
brösel, Butterflöckchen, gebräunte Zwiebelringe

Die Bohnen über Nacht einweichen. Am Tage darauf mit dem
Einweichwasser, Salz und Pfeffer bei geringer Hitze etwa 1½
Stunden kochen. Speck in Würfel schneiden, auslassen und
zusammen mit den kleingeschnittenen Bratenresten, Sauce
und Tomatenketchup zu den Bohnen geben. Alles in eine
gefettete Auflaufform füllen, Semmelbrösel darüberstreuen,
mit Butterflöckchen belegen und bei mittlerer Hitze etwa 40
Minuten backen. Mit Zwiebelringen garnieren. Dazu passen
Salzkartoffeln.

Hähnchengericht im US-Style

1 größeres gegrilltes Brathähnchen, 1 größere Dose Mais,
1 Tasse Milch, 1 Tasse süße Sahne, 6 gestrichene EL Fix-
Saucenbinder für dunkle Saucen, frischer Estragon, gerie-
bene Muskatnuß, Salz, 2 EL gehackte Hasel- oder Wal-
nüsse, 2 EL geröstete Weißbrotwürfelchen

Das Brathähnchen in Portionsstücke teilen und zusammen mit
den Maiskörnern in eine gefettete Auflaufform geben. Die
Milch mit der Sahne zum Kochen bringen, Fix-Saucenbinder
einrühren und das Ganze nur etwa 1 Minute kochen lassen.
Estragon kleinschneiden und in der Sauce mitkochen lassen.
Diese noch mit Muskatnuß und Salz würzig abschmecken, die
Nüsse untermischen und über das Geflügel und das Gemüse
verteilen. Das Gericht im vorgeheizten Backofen bei Mittelhitze etwa 30 Minuten backen. Mit den gerösteten Weißbrotwürfelchen bestreut auf den Tisch bringen. Dazu gibt es körnig gekochten Reis.

Kartoffelaufläufe

Mit der guten, alten Kartoffel lassen sich ausgezeichnete und variable Aufläufe zubereiten. Um jeden Auflauf mit den nötigen Vitaminen anzureichern, sollten frische Kräuter darin nicht fehlen. Geriebener Käse und Butterflöckchen verfeinern den Auflauf.
Als Beilage eignen sich frischer grüner Salat, Gemüse und eine würzige Sauce.

Überbackene Béchamelkartoffeln mit verlorenen Eiern

400 g gekochte, in Scheiben geschnittene Kartoffeln, 125 g in Würfel geschnittene Schinkenwurst, 3/4 l Weiße Sauce, 1 geriebene Zwiebel, Salz, 3–4 EL geriebener Käse, 1 Eiweiß, 2 Liter Wasser, 2 EL Essig, 2 gestrichene TL Salz, 6–8 Eier, 2 EL Semmelbrösel, Butterflöckchen, 3–4 Sardellenfilets, 2 EL kleingehackte Petersilie

Die in Scheiben geschnittenen Kartoffeln in eine gefettete Auflaufform geben und die Schinkenwurst darüber verteilen. Die heiße Sauce mit Zwiebeln, Salz und Käse pikant abschmecken. Das steifgeschlagene Eiweiß unterziehen und die Hälfte der Sauce über die Kartoffeln gießen. – Wasser mit Essig und Salz zum Kochen bringen. Die Eier in einer Schöpfkelle aufschlagen, vorsichtig in das leicht kochende Wasser geben und etwa 3 Minuten ziehen lassen. Mit einem Schaumlöffel herausnehmen, in die Form verteilen und mit der restlichen Sauce überziehen. Semmelbrösel darüberstreuen, Butterflöckchen daraufsetzen, mit Sardellenfilets garnieren und im vorgeheizten Ofen bei guter Mittelhitze etwa 15 Minuten überbacken. Mit Petersilie bestreut anrichten.

Frühlingsauflauf

2 Köpfe grüner Salat, 1 EL Fett, 1 kleine Zwiebel, 30–40 g Mehl, ³/₄ l Brühe, 3 Maiskörner aus der Dose, Selleriesalz, Kartoffelpüree aus 1¹/₂–2 Pfund gekochten Kartoffeln, 150 g Fleischkäse (Leberkäse)

Die Salatblätter verlesen, einige Male gut waschen und nach dem Abtropfen fein wiegen oder in dünne Streifen schneiden. Fett erhitzen, die kleingeschnittene Zwiebel glasig dämpfen, Mehl zufügen, anschwitzen und mit der Brühe unter Rühren ablöschen. Salat und Maiskörner zugeben und etwa 10 Minuten bei geringer Hitze dünsten; würzen. Eine gefettete, feuerfeste Form mit der Hälfte des Kartoffelpürees füllen, darauf den in Würfel geschnittenen Fleischkäse und das Gemüse verteilen. Mit dem restlichen Kartoffelpüree abdecken und den Auflauf bei mittlerer Hitze etwa 30 Minuten überbacken.
Der Auflauf kann ohne Fleischkäse auch zu jedem Braten gereicht werden.

Ungarischer Kartoffelauflauf

750 g gekochte Kartoffeln, 4 hartgekochte Eier, 200 g Salami, 2 Paprikaschoten, Salz, ¹/₄–³/₈ Liter saure Sahne, 50 g Schafskäse

Die geschälten, in Scheiben geschnittenen Kartoffeln im Wechsel mit Ei- und Wurstscheiben sowie den entkernten, feingehackten Paprikaschoten in eine gefettete Auflaufform geben. Etwas Salz darüberstreuen und das Ganze mit Kartoffeln abdecken. Sahne und Käsestückchen darüber verteilen und den Auflauf bei mittlerer Hitze 25 bis 30 Minuten backen. Dazu Gemüse oder ein beliebiger Salat.

Appetitspeise

250 g gedünstete Pilze, 1 Paprikaschote, 100 g gedünstete Erbsen, 250 g gekochte Kartoffeln, 250 g Hühnerleber, 2 EL kleingehackte Petersilie, Salz, Fett, ¹/₄ l Tomatensauce, 1 EL Rahm oder Dosenmilch, 4 Eier, Streuwürze

Die Pilze mit der entkernten, in dünne Streifen geschnittenen Paprikaschote, den Erbsen und den geschälten, kleingeschnittenen Kartoffeln mischen. Die Hälfte davon in eine gefettete flache Auflaufform füllen. Die Hühnerleber fein wiegen, Petersilie zufügen, kurz in Fett anbraten, würzen und über dem Gemüse-Kartoffel-Gemisch verteilen. Die Auflaufform mit der restlichen Gemüsemischung füllen. Die mit Rahm verrührte Tomatensauce und die mit Streuwürze verquirlten Eier darübergießen. Die Speise im vorgeheizten Ofen bei mittlerer Hitze etwa 30 Minuten backen.

Quarkkartoffeln

750 g abgekochte Kartoffeln, 150 g Speck, 250 g Quark, Salz, Kümmel, Semmelbrösel, 3 EL geriebener Käse, Butterflöckchen

Die Kartoffeln schälen und in Scheiben schneiden. Speck in kleine Würfel schneiden, auslassen und die Hälfte davon mit den Gewürzen unter den Quark mischen. Die Kartoffelscheiben im Wechsel mit dem Quark in eine gefettete, mit Semmelbröseln bestreute Auflaufform geben. Den Auflauf mit Kartoffeln abdecken und Käse und Butterflocken darüber verteilen. Die Speise bei guter Hitze etwa 20 Minuten backen und vor dem Auftragen mit den restlichen Speckwürfelchen garnieren.

Bunter Kartoffelauflauf

1 kg Kartoffeln, 1 Zwiebel, 30–40 g Fett, 40 g Mehl, 1/4 l Brühe, 1/4 l Milch, Pfeffer, Salz, Muskat, 1 Packung tiefgekühltes, gedünstetes Mischgemüse oder nicht ganz 1 Dose Leipziger Allerlei, 4–6 Scheiben Käse, Paprika, 2 EL gehackte Petersilie

Die Kartoffeln waschen und in der Schale kochen. Inzwischen die Zwiebel fein schneiden, im heißen Fett hell rösten, Mehl anschwitzen und unter ständigem Rühren Brühe und Milch zugießen. Die Sauce etwa 10 Minuten kochen, würzen und die geschälten, in Scheiben geschnittenen Kartoffeln dazugeben. Diese mit dem Gemüse im Wechsel in eine gefettete Auflaufform füllen, mit Käsedreiecken belegen, etwas Paprika darüberstreuen und bei mittlerer Hitze etwa 30 Minuten backen. Mit Petersilie bestreut anrichten. Hierzu können heiße Würstchen oder Bouletten gereicht werden. Der Béchamelsauce gewinnt man einen neuen Geschmack ab, wenn ihr etwas Mayonnaise untergerührt wird.

Feiner Spargelauflauf

1 kg in der Schale gekochte Kartoffel, 750 g Spargel, Salzwasser, 1 Prise Zucker, 40 g Butter, 30–40 g Mehl, je 1/4 l Spargelwasser und Milch, 1 Eigelb, Zitronensaft, Salz, 150 g gekochte Ochsenzunge (Rest) oder Zungenwurst, 2 EL Semmelbrösel, 2 EL geriebener Käse, Butterflöckchen

Die Kartoffeln schälen und in Scheiben schneiden. Den Spargel vorbereiten, in fingerlange Stücke schneiden und in Salzwasser mit einer Prise Zucker garen. Butter erhitzen, Mehl leicht anschwitzen, mit Spargelwasser und Milch ablöschen, mit

Eigelb legieren und pikant abschmecken. Die abgetropften Spargel in die Sauce geben. Eine gefettete Auflaufform im Wechsel mit Kartoffeln, Spargel, Sauce und mit der in feine Scheiben geschnittenen Zunge füllen. Die letzte Lage sollen Kartoffeln sein. Semmelbrösel und Käse darüberstreuen, den Auflauf mit Butterflöckchen belegen und bei mittlerer Hitze 35 bis 45 Minuten backen.

Leberwurstragout auf Kartoffelpüree

1 Päckchen Kartoffelpüreepulver, 1/2 l Milch, 1/4 l Wasser, 2 EL Olivenöl oder 40 g Fett, 2 Zwiebeln, 1 Sträußchen kleingehackte Petersilie, 300 g Landleberwurst, Pfeffer, Salz, 2 EL Weinbrand, 3–4 EL geriebener Käse

Milch und Wasser erhitzen und nach Vorschrift ein Kartoffelpüree zubereiten. Dieses würzen und in eine gefettete, flache Gratinform füllen. Öl und Fett erhitzen, kleingeschnittene Zwiebeln und Petersilie glasig dünsten, die von der Haut befreite, kleingeschnittene Leberwurst zugeben, etwa 5 Minuten leise mitdünsten; ab und zu umrühren. Das Ragout salzen und pfeffern, mit Weinbrand abschmecken und über das Püree verteilen. Käse darüberstreuen und das Gericht bei mittlerer Hitze etwa 20 Minuten backen. Dazu paßt ein knackfrischer Kopf- oder Feldsalat.

Gemüsereste bereichern die Speise. Sie können zuunterst in die Auflaufform gegeben oder auch, wie z. B. gedünstete Lauchstückchen, unter das Püree gemischt werden.

Über die irischen Bauern wird gerne gespottet, und man erzählt sich, daß ihre Nahrung nur aus Fisch und Kartoffeln bestehe. Es entspricht nicht ganz der Wahrheit. Doch eines stimmt, daß sich die Bevölkerung auf dem Land gerne von Kartoffeln ernährt. Daher enthält auch der nachfolgende Pie sehr wenig Fleisch.

Béchamelkartoffeln mit Gemüse

2–3 EL Pflanzenöl, 1 Zwiebel, 2 EL Mehl, ¹/₂ l Milch, 2 Tassen Fleischbrühe, Salz, Muskat, 1 kg gekochte Kartoffeln, 1 Paar Würstchen, 250 g gedünstete Karotten, 250 g gedünstete Bohnen, 3 Scheiben Käse, 2 EL kleingehackte Petersilie

Das Öl erhitzen, die feingewiegte Zwiebel glasig dämpfen, Mehl anschwitzen und mit Milch und Fleischbrühe ablöschen. Die Béchamelsauce würzen, die geschälten, in Scheiben geschnittenen Kartoffeln und die kleingeschnittenen Würstchen daruntermischen. Eine gefettete Auflaufform lagenweise mit den Béchamelkartoffeln und dem Gemüse füllen. Das Ganze mit Béchamelkartoffeln abdecken. Den Auflauf mit Käsedreiecken garnieren und bei mittlerer Hitze 20 bis 30 Minuten backen. Mit Petersilie garniert anrichten.

Auflauf Roswitha

1 Päckchen Kartoffelpüreepulver, ¹/₄ l Milch, ¹/₂ l Wasser, Salz, 1 Tasse gedünstete Erbsen, 1 Sträußchen Petersilie, 1 Ei, Semmelbrösel, etwa 300 g Hühnerfrikassee (Rest), 1 rote, marinierte Paprikaschote

Das Kartoffelpürree nach Anweisung mit Milch und Wasser zubereiten, würzen und die Erbsen, kleingehackte Petersilie und das Eigelb daruntermischen. Eiweiß zu steifem Schnee schlagen und unterziehen. Eine gefettete, niedere Gratinform mit Semmelbröseln bestreuen. Zuerst mit der Hälfte des Kartoffelpürees, dann mit dem Hühnerfrikassee und dem restlichen Kartoffelpüree die Form füllen. Die Speise im Backofen bei Mittelhitze goldgelb backen. Mit Paprikastückchen garnieren. Die Backzeit beträgt 30 bis 40 Minuten.

Schusterauflauf

750 g gekochte Kartoffeln, 100 g durchwachsener Räucher-
speck, 2 Zwiebeln, Streuwürze, je 1 rote und 1 grüne
Paprikaschote, 1 Gewürzgurke, Gulaschreste mit Sauce,
1/4 l saure Sahne, 2–3 EL geriebener Käse, 30 g Butter

Die Kartoffeln schälen und in Scheiben schneiden. Speck in
Würfel schneiden und mit den kleingehackten Zwiebeln hell
rösten. Kartoffeln zugeben, mit Streuwürze abschmecken und
alles gut vermischen. Paprikaschoten entkernen, in Streifen
schneiden und mit der kleingehackten Gurke unter das Fleisch
mit Sauce mischen. Kartoffeln und Fleisch im Wechsel in eine
gefettete Auflaufform füllen. Mit Kartoffeln abdecken. Verquirlte Sahne, Käse und Butterflöckchen darüber und bei mittlerer Hitze etwa 35 Minuten backen.

Geflügelauflauf

125 g gekochte, durchpassierte Kartoffeln, 250 g Mehl, 3
Eier, Rest von gebratenem Geflügel, 6 Stangen Porree
(Lauch), 1 Tasse Brühe, 40 g Fett, 1½ EL Mehl, 1 volle
Tasse Milch, 40 g geriebener Käse, Salz, Paprika

Die Kartoffeln mit Mehl und einem Ei zu einem glatten Teig
verkneten. Diesen ausgerollt in eine gefettete Auflaufform
legen. Darüber die Geflügelreste verteilen. Wurzeln und grüne
Blätter vom Porree entfernen, das Weiße dreimal durchschnei-
den und in der gewürzten Brühe halbweich dünsten. Zum
Fleisch geben. Aus Fett, Mehl und Milch eine Helle Sauce
kochen. Den Topf vom Feuer nehmen, Sauce mit 2 Eigelb
legieren und mit Käse, Salz und Paprika würzen. Zuletzt den
steifgeschlagenen Eischnee unter die leicht ausgekühlte Sauce
ziehen und über die Auflaufmasse verteilen. Das Gericht bei
mittlerer Hitze etwa 40 Minuten backen.

Ungarisches Paprikagericht

1 Packung Kartoffelpüreepulver, 6 mittelgroße grüne Paprikaschoten, 300 g Bratwurstbrät oder Hackfleisch, 2–3 Eier, 1–2 EL Semmelbrösel, 4–5 Scheiben Emmentaler Käse, Tomatenketchup

Das Flockenpüree nach Anweisung mit Wasser zubereiten und in eine gefettete Auflaufform geben. Paprikaschoten halbieren, Stiel und Kerne entfernen und gut auswaschen. Bratwurstbrät mit den Eiern und den Semmelbröseln gut vermischen und die Farce glattrühren. Diese in die Paprikaschoten füllen und die Schoten in das Flockenpüree setzen. Den Käse ziegelartig darauflegen und den Auflauf im vorgeheizten Backofen bei Mittelhitze etwa 30 Minuten backen.

Irischer Kartoffel-Pie

Teig: 100 g Mehl, Salz, 25 g Schweineschmalz, 2–3 EL Wasser – Fülle: 100 g Roastbeef, 750 g rohe Kartoffeln, $1/2$ l gewürzte Fleischbrühe, 3–4 EL geriebener Käse, 1 Eigelb

Aus Mehl, Salz, Fett und Wasser einen Teig kneten und 30 Minuten kühl stellen. Roastbeef in Streifen, die geschälten Kartoffeln in Scheiben schneiden und vermischt in eine gefettete Auflaufform füllen. Fleischbrühe darübergießen und mit Käse bestreuen. Den Teig ausrollen und auf die Kartoffeln legen. In die Mitte einige Löcher hineinstechen, damit beim Backen der Dampf abziehen kann. Man kann auch einen umgekehrten Eierbecher in die Mitte stellen, damit der Teig nicht direkt aufliegt. Die Teigdecke mit Eigelb bestreichen und den Pie bei schwacher Hitze 60 bis 70 Minuten backen. Die Kartoffeln müssen gar sein. Sollte die Teigdecke zu schnell bräunen, muß ein Pergamentpapier darübergelegt werden.

Quartettauflauf

500 g in kleine Würfel geschnittenes Schweinefleisch, 2 Zwiebeln, 3 Äpfel, 50 g Fett, 1 Beutel Weiße Sauce, $3/8$ l gewürzte Hühnerbrühe, Kartoffelpüree (Rest), $1/10$ l Sahne, Butterflöckchen

Das gewaschene, abgetrocknete Schweinefleisch mit den feingewiegten Zwiebeln im heißen Fett anbraten. Äpfel in kleine Stückchen schneiden, zum Fleisch geben und kurz mitdämpfen. Alles in eine gefettete Auflaufform füllen. Mit der Brühe eine Helle Sauce bereiten; sie darf nicht dick sein, deshalb wird sie mit mehr Flüssigkeit gekocht, als auf dem Beutel angegeben ist. Diese Sauce über das Fleisch gießen und die Form bei mittlerer Hitze für 40 Minuten in den Backofen schieben. Nun eine dünne Schicht Kartoffelpüree darüber verteilen, Sahne zugießen, mit Butterflöckchen verfeinern und nochmals so lange in den Backofen geben, bis die Speise eine schöne hellbraune Farbe angenommen hat.

Wiener Auflauf

100 g durchwachsener Speck, 750 g gekochte Kartoffeln, 500 g Tomaten, 1 Paprikaschote, 1 Zwiebel, 3 Eier, $1/4$ l saure Sahne, Salz, Butterflöckchen

Den Speck in kleine Würfel schneiden und unter die geschälten, in Scheiben geschnittenen Kartoffeln mischen. Diese im Wechsel mit den in Scheiben geschnittenen Tomaten in eine gefettete Auflaufform füllen. Die entkerne, in dünne Streifen geschnittene Paprikaschote und zuletzt die feingewiegte Zwiebel darüber verteilen. Eier mit der Sahne verquirlen, salzen, über den Auflauf gießen, mit Butterflocken belegen und das Ganze bei mittlerer Hitze 20 bis 30 Minuten backen.

Sauerkrautgericht Madame

*Etwa 500 g Salzkartoffeln, 100 g durchwachsener Speck, 1
Zwiebel, 3–4 Wacholderbeeren, 1 EL kleingehackte Petersilie, ¹/₄ l Wasser, ¹/₁ Dose Sauerkraut, 4 Feigen,
1–2 EL Feigensaft (aus der Dose), 2 Eier, Salz*

Die in Scheiben geschnittenen Kartoffeln in eine gefettete Gratinform geben. Speck in Würfel schneiden und mit der kleingeschnittenen Zwiebel leicht anbraten. Wacholderbeeren,
Petersilie und Wasser unter das aufgelockerte Kraut geben
und dieses bei geringer Hitze etwa 45 Minuten kochen. Die
halbierten oder auch kleiner geschnittenen Feigen aus der
Dose unter das Kraut mischen. Dieses mit Feigensaft
abschmecken und über die Kartoffeln verteilen. Eigelb mit
wenig Salz verquirlen, steifgeschlagenen Eischnee unterziehen,
über das Kraut geben und im vorgeheizten Backofen bei guter
Hitze 10 bis 15 Minuten überbacken.

Oberbayerische Knödelspeise

*Gekochte Kartoffelknödel (Reste), 2 Zwiebeln, 2 EL Pflan-
zenöl, 300 g Landleberwurst, 1 EL Tomatenmark,
Majoran, 1 Sträußchen kleingehackte Petersilie, Salz oder
Streuwürze, 3 bis 4 Eier*

Die Knödel in Scheiben schneiden. Die kleingehackten Zwiebeln im heißen Öl glasig dünsten, Leberwurststückchen zufügen, umrühren und einige Minuten braten. Tomatenmark,
Majoran und Petersilie daruntermischen und würzig
abschmecken. Die Knödelscheiben im Wechsel mit der Leber-
wurstfarce in eine gefettete Auflaufform geben. Zuletzt die
gewürzten Eier darüberschlagen und die Speise bei mäßiger
Hitze etwa 30 Minuten backen.

Hackfleischgericht Jan

5–6 große, gekochte, noch warme, in Scheiben geschnit-
tene Kartoffeln, 2 hartgekochte Eier, Hackbratenreste, 1
Tasse Milch, 40 g Butter, 1 TL Senf, Salz, Pfeffer, 60 g
geriebener Käse

In eine gefettete Auflaufform zuerst die Hälfte der Kartoffeln,
dann die in Scheiben geschnittenen Eier, den ebenfalls in
Scheiben geschnittenen Hackbraten und die restlichen Kartoffeln geben. Die Milch mit der Butter erhitzen, die Gewürze
und unter Rühren den Käse dazugeben. Die dickliche Sauce
pikant abschmecken, und über die Zutaten verteilen. Den Auflauf in vorgeheiztem Backofen bei guter Hitze etwa 10 Minuten überbacken. Dazu paßt Gemüse oder Salat.
Soll der Auflauf eine besondere Note erhalten, können über
das Hackfleisch noch 50 g Rosinen verteilt werden.

Hubertusauflauf

750 g in der Schale gekochte Kartoffeln, Wildfleischbraten
(Reste), 4 große Zwiebeln, 30 g Butter oder Margarine,
20–30 g Mehl, 1/4 l Milch, Salz, Pfeffer, Muskat, Braten-
sauce

Eine gefettete Auflaufform im Wechsel mit den geschälten, in
Scheiben geschnittenen Kartoffeln und kleingeschnittenen
Fleischresten füllen. Dazwischen eine Lage Zwiebelpüree geben:
Butter erhitzen, die kleingeschnittenen Zwiebeln glasig dämpfen, Mehl darüberstäuben und mit der Milch ablöschen. Gewürze darüberstreuen und alles zu einem dicken Brei kochen.
Bratensauce mit der Sahne verrühren und über das Ganze gießen. Käse darüberstreuen, den Auflauf mit Butterflöckchen belegen und bei mittlerer Hitze etwa 40 Minuten backen.

Kartoffelschnellgericht

*50 g Fett, 50 g Mehl, 1 l Brühe, Salz, Essig, 200 g durch-
wachsener Speck, 1 kg abgekochte, geschälte Kartoffeln,
Kapern, 1 Gewürzgurke, 3–4 Scheiben Käse, Petersilie,
gebräunte Zwiebelringe*

Aus Fett und Mehl eine dunkle Einbrenne bereiten, mit Brühe
ablöschen, mit Salz und Essig würzen. Kleingeschnittenen
Speck, die in Scheiben geschnittenen Kartoffeln, Kapern und
Gurkenstückchen daruntermischen. Alles in eine gefettete
Auflaufform füllen, Brühe zugießen, so daß die Kartoffeln gut
bedeckt sind. Das Gericht mit Käsescheiben belegen und bei
mittlerer Hitze so lange backen, bis der Käse zu schmelzen
anfängt. Mit kleingehackter Petersilie und Zwiebeln anrichten.
Statt Speck können abgezogene, entgrätete Bücklingsstückchen
oder Heringsfilets verwendet werden.

Tessiner Wurstauflauf

*1 kg gekochte Kartoffeln, 4 Bauernschweinswürste, 30 g
Fett, 4 Eier, Salz, Pfeffer, Rosmarin, ¼ l saure Sahne,
2 EL geriebener Sbrinz oder Greyerzer*

Die Kartoffeln schälen, in kleinere Stücke schneiden. Die
Schweinsbratwürste in heißem Fett knusprig braten und in
Scheiben schneiden. Die Eier hart kochen, Schale entfernen
und dann vierteln. Eine gefettete Auflaufform im Wechsel mit
Kartoffelstücken, Wurst- und Eischeiben füllen. Die Kartoffeln
mit etwas Salz und Pfeffer sowie Rosmarin würzen. Die Sahne
mit dem geriebenen Käse verquirlen, über den Auflauf gießen
und diesen bei geringer Hitze im vorgeheizten Backofen etwa
40 Minuten backen. Dazu gibt es einen marktfrischen Kopf-,
Tomaten- oder Rettichsalat.

Amerikanisches Kartoffelgericht

1¹/₄ kg rohe Kartoffeln, Salz, Kümmel, ³/₈ l Brühe, 150 g Corned beef, 2 Zwiebeln, 2 Ecken in Stücke geschnittener Schmelzkäse, 60 g Butter, ¹/₄ l Milch, Butterflocken

Die Kartoffeln schälen und in dünne Scheiben schneiden. Diese mit Salz, Kümmel, dem mit ¹/₈ l Brühe erhitzten Corned beef, den feingewiegten Zwiebeln, Käse- und Butterstückchen in eine gefettete Auflaufform geben. Milch mit der restlichen Brühe vermischen und darübergießen. Die Kartoffeln sollen fast bedeckt sein. Zuletzt Butterflöckchen darauf verteilen. Die Backzeit beträgt bei guter Hitze 60 bis 70 Minuten.

Pommersche Eierpfanne

1 Paket Kartoffelpüreepulver, ¹/₂ l Milch, ¹/₄ l Wasser, 300 g Butter, Salz, Muskat, Majoran, 5 Eier, 2–3 EL Semmelbrösel, 100 g in Würfel geschnittene Schinkenwurst, 3 EL geriebener Käse, 2 EL in Butter geröstete Semmelbrösel

Milch und Wasser zum Kochen bringen und das Kartoffelpüree nach Vorschrift zubereiten. Ein Stückchen Butter, Salz, Muskat, Majoran und ein Eigelb unterrühren, würzig abschmecken und den steifgeschlagenen Schnee von einem Ei unterziehen. Das Kartoffelpüree in eine gefettete, mit Semmelbröseln ausgestreute Auflaufform füllen. Mit einem Löffel Vertiefungen in das Püree drücken und diese mit Wurstwürfelchen und Käse füllen. Den Auflauf bei mittlerer Hitze 15 bis 20 Minuten überbacken. Aus den restlichen 4 Eiern Spiegeleier backen, über den Vertiefungen anrichten und den Auflauf mit den gerösteten Semmelbröseln garnieren.

Spanischer Kartoffelauflauf

*3 Eigelb, 40 g Butter, 5 EL geriebener Käse, 500 g
gekochte, durchpassierte Kartoffeln, Salz, 200 g Bratenreste
oder Corned beef, 1 kleine Dose geschälte Tomaten oder
frische Tomatenscheiben, 2 EL kleingehackte Petersilie,
1 EL Semmelbrösel, Butterflocken*

Eigelb, Butter und etwa 2 EL Käse unter die Kartoffeln mischen und würzen. Diese im Wechsel mit den kleingeschnittenen Bratenresten in eine gefettete Auflaufform füllen. Zuletzt Tomaten, Petersilie, Semmelbrösel, Käse und Butterflocken darüber verteilen. Auflauf 25 bis 30 Minuten bei guter Mittelhitze backen.

Teigwarenaufläufe

Teigwarengerichte – Makkaroni, Spaghetti, Nudeln, Spätzle, und wie sie alle noch heißen mögen – erfreuen sich in allen Küchen großer Beliebtheit, zum Teil wohl auch deswegen, weil sie keine lange Kochzeit brauchen. Aber sie müssen richtig gekocht werden – al dente, wie der Italiener sagt, also kernig-weich.

Da die Teigwaren stark aufquellen, sollten sie immer in reichlich Salzwasser gekocht werden. Für 250 g sind 2½ bis 3 Liter Wasser notwendig.

Die Teigwaren werden in kochendes Wasser locker eingelegt und, damit sie nicht am Topfboden hängenbleiben, einige Male umgerührt.

Die Kochzeit der einzelnen Sorten ist jeweils auf der Packung angegeben. Sie sollte unbedingt eingehalten werden.

Nach dem Kochen werden sie auf ein Sieb geschüttet, mit lauwarmem Wasser überspült und nach dem Abtropfen, wie das Rezept es vorschreibt, weiter verwendet.

Teigwaren allein schmecken langweilig. Doch eignen sie sich, verbunden mit anderen Nahrungsmitteln, vorzüglich zur Zubereitung von Aufläufen. Käse gehört dazu wie das Salz zur Suppe.

Pikanter Fleischauflauf

300 g Hackfleisch, 1 Zwiebel, 1 Sträußchen Petersilie, 1 Brötchen, 1 Ei, Salz, Pfeffer, Worcestersauce, 1 Dose geschälte Tomaten, 250 g abgekochte Teigwaren, 30 g Butter, Reibkäse

Das Fleisch mit der feingewiegten Zwiebel, kleingehackten Petersilie, dem eingeweichten, ausgedrückten Brötchen, Ei und Gewürzen vermischen. Eine gefettete Auflaufform zuerst mit dem Fleisch, dann den Tomaten und schließlich mit Teigwaren füllen. Butterflöckchen und Reibkäse darüberstreuen und den Auflauf bei Mittelhitze 20 bis 30 Minuten backen.

Spinatauflauf mit Nudeln

Ein Paket Tiefkühlspinat (600 g), 3–4 EL Pflanzenöl, 1 Zwiebel, 2 EL gehackte Petersilie, Salz, Pfeffer, Muskat, 2 alte Brötchen, Milch, 4 Eier, 250 g Nudeln, Salzwasser, 3 EL Semmelbrösel, 3–4 EL geriebener Käse, Butter

Den Spinat nach Vorschrift auftauen. Öl erhitzen, die feingewiegte Zwiebel glasig dünsten, Spinat zufügen und mit Petersilie und den Gewürzen abschmecken. Die Brötchen in Milch einweichen, ausdrücken und mit den verquirlten Eiern verrühren. Nudeln in Salzwasser nicht zu weich kochen, abgießen, abschrecken und abtropfen lassen. Die Brötchen und den Spinat daruntermischen und alles in eine gefettete Auflaufform füllen. Semmelbrösel und Käse darüberstreuen, das Ganze mit zerlassener Butter beträufeln und den Auflauf bei mittlerer Hitze 40 bis 50 Minuten backen. Dazu passen Bratwürste, gegrilltes oder kurz gebratenes Fleisch.

Kanadischer Spaghettiauflauf

250 g Spaghetti, Salzwasser, 200 g Corned beef oder 150 g gekochter Schinken, 1 kleine Dose Erbsen (auch Tiefkühlerbsen), 1/4 l Milch, 2 EL Tomatenmark, Salz, Pfeffer, 4 EL geriebener Käse, 2–3 Eier, Semmelbrösel, eine Ecke Schmelzkäse

Die zerbrochenen Spaghetti in Salzwasser garen, abschrecken, abtropfen lassen, mit dem zerkleinerten Corned beef oder dem kleingeschnittenen Schinken und den Erbsen vermischen und in eine gefettete Auflaufform geben. Milch mit Tomatenmark, den Gewürzen, Käse und Eiern verquirlen, darübergießen, mit Semmelbröseln bestreuen und mit Käseflöckchen belegen. Den Auflauf bei mittlerer Hitze 25 bis 30 Minuten backen.

Auflauf Milano

Eine 1-kg-Dose Ravioli mit Fleischsauce, 1 Paket Tiefkühl-
spinat (600 g), 30 g Fett, 1 Zwiebel, Salz, Muskat, 2 EL
Sahne oder Dosenmilch, 4 EL geriebener Läse, 3 Scheiben
Chesterkäse, Butterflöckchen

Die Hälfte Ravioli in eine gefettete flache Auflaufform legen.
Spinat nach Vorschrift langsam auftauen. Fett erhitzen, kleingeschnittene Zwiebel hell rösten und mit Salz, Muskat, Sahne
und Käse unter den Spinat mischen. Diesen abschmecken, auf
die Ravioli füllen, die restlichen Ravioli darüber verteilen, mit
Käseecken und Butterflöckchen belegen und bei mittlerer Hitze
20 bis 30 Minuten backen.
Der Auflauf schmeckt auch mit anderem Tiefkühlgemüse, wie
Erbsen, Karotten oder Bohnen, gut.

Spaghettispeise Adria

250 g Spaghetti, Salzwasser, 500 g Zucchini, 80 g Butter,
Salz, Pfeffer, 1 paar Tropfen Tabascosauce, 3/8 l Milch,
2–3 Eier, Salz, 2 EL Semmelbrösel, 3 EL geriebener Par-
mesankäse, Butterflöckchen

Die in Stücke gebrochenen Spaghetti in Salzwasser garen.
Zucchini gut waschen, in nicht zu dünne Scheiben schneiden,
in der heißen Butter 5 bis 8 Minuten dünsten und würzen.
Ein flache, gefettete Auflaufform mit der Hälfte der Spa-
ghetti füllen, darauf die Zucchini und zuletzt die restlichen
Spaghetti geben. Milch mit Eiern und Salz verquirlen, über die
Speise gießen, mit Semmelbröseln und Käse bestreuen, mit
Butterflöckchen belegen und den Auflauf bei mittlerer Hitze
20 bis 30 Minuten backen. Dazu wird eine pikante Tomaten-
sauce gereicht.

Sizilianische Fischmakkaroni

250 g Makkaroni, Salzwasser, 400 g gedünstetes Fischfilet (auch Fischreste), 1 EL Öl, 3 Tomaten, 1 Stange Porree (Lauch), 2 Fenchelknollen, 1/4 l Sahne, Salz, 50 g geriebener Käse, Butterflocken, Fenchelgrün

Die Makkaroni in Stücke brechen und in Salzwasser garen, auf einem Sieb abtropfen lassen und in eine gefettete Auflaufform geben. Fischfilet in kleinere Stücke schneiden und darüber verteilen. Öl erhitzen, die geschälten Tomaten, den kleingeschnittenen Porree und den geputzten, in kleine Stücke geschnittenen Fenchel kurz dünsten. Sahne zugießen und das Gemüse abschmecken. Den Auflauf mit dem Gemüse abdekken, Käse darüberstreuen, Butterflöckchen darauf verteilen und das Gericht im vorgeheizten Ofen bei guter Hitze 10 Minuten überbacken. Mit gehacktem Fenchelgrün bestreut anrichten.

Tomatenspätzle

250 g Formnudeln (Spätzle), Salzwasser, 1 Zwiebel, 30 g Fett, 250 g geschälte, geviertelte, reife Tomaten, Thymian, Basilikum, Salz, Pfeffer, 1 Tasse saure Sahne, 4 EL geriebener Käse

Die Spätzle in Salzwasser nicht zu weich kochen. Die feingeschnittene Zwiebel in heißem Fett bräunen. Tomaten, Kräuter und Gewürze dazugeben, mitdünsten, unter die Spätzle mischen und alles in eine gefettete Auflaufform füllen. Sahne darübergießen, Käse darüberstreuen und das Ganze bei mittlerer Hitze etwa 20 Minuten backen. Restliches Hühnerfrikassee und gedünstete Pilze daruntergemischt, verfeinern den Auflauf. Dazu passen Salate.

Überbackene Cannelloni

Teig: *250 g Mehl, 2 Eier, Salz, 4–6 EL Wasser* – Fülle:
*40 g Butter oder Margarine, 30–40 g Mehl, 1/4 l Brühe, 1
Eigelb, 2 EL Dosenmilch, Zitronensaft, 1 Gewürzgurke,
Kapern, 300 g gekochtes Schweine- oder Kalbfleisch* –
Sauce: *3 EL Olivenöl, 2 Zwiebeln, 500 g Tomaten, Salz,
Thymian, Basilikum, Rotwein, Reibkäse, Butterflocken*

Aus Mehl, Eiern, Salz und Wasser einen glatten Nudelteig
kneten und ihn längere Zeit ruhen lassen. Teig dünn ausrollen, etwa 10 cm breite und 12 cm lange Streifen schneiden
und in kochendem Salzwasser garen. Immer nur wenige Teigstreifen zur gleichen Zeit in das Wasser geben, damit sie nicht
zusammenkleben. Abtropfen und gut trocknen lassen.
Zur Fülle aus Fett, Mehl und Brühe eine helle Sauce bereiten,
mit Eigelb legieren, mit Dosenmilch verfeinern und mit Zitronensaft, kleingehackter Gurke und Kapern würzig abschmekken. Fleisch in kleine Würfelchen schneiden und zu der Sauce,
die nicht zu dünn sein darf, geben. Die erkalteten Teigstreifen
mit der Farce bestreichen, zusammenrollen und mit der Naht
nach unten in eine gefettete Auflaufform nebeneinander-
legen.
Zur Sauce Öl erhitzen, die kleingeschnittenen Zwiebeln glasig
dünsten, geschälte Tomaten, Salz und Kräuter zugeben und
bei geringer Hitze stark eindicken. Die Sauce, die nicht durch-
gesiebt wird, abschmecken, mit etwas Rotwein verfeinern und
über die Cannelloni geben. Reichlich geriebenen Käse und
Butterflocken darüber verteilen und das Gericht im Backofen
bei Mittel-, zuletzt dann Oberhitze etwa 15 Minuten backen.
In Italien versteht man es zu variieren. Ein andermal werden
die Cannelloni mit beliebigen Bratenresten, etwas rohem,
kleingehacktem Schinken und 1 bis 2 EL Quark vermischt,
gefüllt. Auf der Insel Capri werden sie mit Salami-, Tomaten-
stückchen und Käse gefüllt. Man kann den Teig auch fertig
bei einem Bäcker oder italienischen Spezialgeschäft kaufen.

Nierenauflauf

300 g Schweinenieren, 80 g Butter, 40 g Mehl, 1/2 l Brühe, 1 EL Essig, 1 EL Tomatenmark, Salz, Pfeffer, 250 g gegarte Teigwaren, Oregano (wilder Majoran), 4–5 Tomaten, 3 EL geriebener Käse, Butterflocken

Die Nieren der Länge nach teilen, von Sehnen und Fettresten befreien, waschen und in dünne Scheiben schneiden. 30 g Butter erhitzen, die Nieren darin schnell anrösten und auf einer Platte warm stellen. Aus dem restlichen Fett und dem Mehl eine dunkle Einbrenne bereiten, Brühe zugießen, durchkochen und mit Essig, Tomatenmark, Salz und Pfeffer würzen. Eine gefettete Auflaufform im Wechsel mit den noch warmen, mit Oregano gewürzten Teigwaren, Nierenscheiben und den in Scheiben geschnittenen Tomaten füllen. Die oberste Lage müssen Teigwaren sein. Die heiße Sauce darübergießen, Käse und Butterflocken darauf verteilen und den Auflauf im vorgeheizten Backofen bei mittlerer Hitze 20 bis 25 Minuten backen.
Dazu grüner Salat. Anstelle von Teigwaren kann auch Curryreis verwendet werden.

Nudel-Wurst-Auflauf

250 g Nudeln, Salzwasser, 150 g Salami oder durchwachsener Speck, Bohnengemüse (Rest), 5–6 Tomaten, 3 Scheiben Käse

Die Nudeln in reichlich Salzwasser garen und abgetropft, mit Wurst- oder Speckstückchen vermischt, in eine gut gefettete Auflaufform geben. Darüber das Bohnengemüse und die in Scheiben geschnittenen Tomaten verteilen. Käsedreiecke ziegelartig darauflegen. Den Auflauf in den vorgeheizten Ofen schieben und bei mittlerer Hitze etwa 20 Minuten überbacken. Dazu paßt eine Tomatensauce.

Sonntagsauflauf

1–2 gebratene Putenkeulen und Flügel (auch Reste von einer Pute), 250 g Champignons, 30 g Butter, 2 EL Weißwein, eine 1 -kg-Dose Ravioli, 1/4 l saure Sahne, 100 g durchwachsener Speck, kleingehackte Petersilie

Das Fleisch von den Knochen lösen und in kleine Stücke schneiden. Champignons vorbereiten, nach Belieben blättrig schneiden und in der erhitzten Butter mit Weißwein garen. Eine gefettete Auflaufform im Wechsel mit Ravioli, Putenfleisch und Champignons füllen. Die letzte Lage sollten Ravioli sein. Die Sahne darübergießen, mit Speckwürfeln bestreuen und den Auflauf bei mittlerer Hitze etwa 20 Minuten backen. Mit Petersilie garniert anrichten. Dazu Kraut.

Farmerauflauf

2 Zwiebeln, 2 Paprikaschoten, 2 EL Pflanzenöl, 4 Tomaten, Salz, Pfeffer, 1/4 l Milch, 2 Ecken Schmelzkäse, 250 g gegarte Teigwaren, 1 kleine Dose Maiskörner, 250 g Hackfleisch, 1 Ei, 1–2 EL Oregano (wilder Majoran)

Eine feingewiegte Zwiebel mit den entkernten, in feine Streifen geschnittenen Paprikaschoten im heißen Öl dämpfen. Die ganzen, abgezogenen Tomaten dazugeben, würzen.
Zur Sauce: Milch zum Kochen bringen, zerkleinerten Käse zufügen und so lange unter Rühren kochen, bis dieser geschmolzen ist. Die Sauce unter die Teigwaren mischen und diese im Wechsel mit dem Gemüse und dem Mais in eine gefettete Auflaufform füllen. Hackfleisch mit Ei, einer feingehackten Zwiebel, Salz und Pfeffer vermischen und als oberste Schicht in die Form geben. Den Auflauf die ersten 30 Minuten zugedeckt bei mittlerer Hitze backen. Daraufhin mit Butterflocken darüber offen fertig backen. Das Fleisch muß gar sein. Mit Oregano bestreut anrichten.

Fischgulasch Ulrich

*750 g Fischfilet, Salz, Pfeffer, Zitronensaft, 1–2 Zwiebeln,
Mehl, 3–4 EL Pflanzenöl, Kapern, 100 g marinierte, rote,
in Streifen geschnittene Paprikaschoten, Worcestersauce,
250 g gegarte, abgetropfte Nudeln, 1/4 l Tomatensauce,
Semmelbrösel, Butterflocken*

Die Filets waschen, abtrocknen, in Würfel oder Streifen
schneiden, salzen, pfeffern, säuern und mit den feingewiegten
Zwiebeln, mit Mehl bestäubt, im heißen Öl braten. Kapern
und Paprikaschoten zufügen, mit Worcestersauce abschmekken, mit den gegarten Nudeln vermischen und in eine gefettete Auflaufform füllen. Tomatensauce darübergießen, mit
Semmelbröseln und Butterflocken bestreuen und bei mittlerer
Hitze 20 bis 30 Minuten backen. Dazu passen Senffrüchte.

Spaghetti-Timbal

*250 g Spaghetti, Salzwasser, 250 g Mettwurst, 6–8 Oli-
ven, 1 Beutel fertige Tomatensauce oder eine kleine Dose
Tomatenmark mit 2–3 EL Dosenmilch oder Sahne, eine
Ecke Schmelzkäse*

Die in Stücke gebrochenen Spaghetti in kochendes Salzwasser
geben und etwa 15 Minuten leise kochen. Mit lauwarmem
Wasser überspülen und auf einem Sieb abtropfen lassen.
Mettwurst in kleine Stückchen und Oliven in Scheiben schneiden und unter die Spaghetti mischen. Diese in eine gefettete
Auflaufform füllen. Eine Tomatensauce nach Gebrauchsanweisung zubereiten oder Tomatenmark mit Dosenmilch verrühren, über die Spaghetti geben, Käseflöckchen darauf verteilen und den Auflauf bei mittlerer bis guter Hitze 20 bis 30
Minuten backen. Dazu paßt ein Chicorée- oder Tomatensalat.

Pußtaauflauf

500 g Paprikaschoten, 60 g Fett, Salz, 1 Zwiebel, 250 g Teigwaren, 4 EL geriebener Käse, 100 g gekochter Schinken oder beliebige Wurst, 2–3 Eier, ³/₈ l Milch, Butterflöckchen

Die entkernten und in dünne Streifen geschnittenen Paprikaschoten in heißem Fett mit etwas Salz und der kleingeschnittenen Zwiebel weich dünsten. Teigwaren in Salzwasser garen, abschrecken und abtropfen lassen, Käse daruntermischen. Eine gefettete Auflaufform im Wechsel mit den Teigwaren, dem Gemüse und dem in kleine Würfel geschnittenen Schinken füllen. Eier verquirlen, Milch zugießen, salzen und über die Teigwaren gießen. Butterflöckchen darüber verteilen und den Auflauf bei mittlerer Hitze 35 bis 40 Minuten backen. Dazu passen alle grünen Salate.

Kalbfleischauflauf

1 Zwiebel, 3–4 EL Pflanzenöl, 250 g in Würfel geschnittenes Kalbfleisch, 500 g feingehobeltes Weißkraut, 2 Stangen Porree (Lauch), 3 Karotten, ³/₈ bis ¹/₂ l Brühe, Salz, Pfeffer, 2 EL Sahne oder Dosenmilch, eine 1-kg-Dose Ravioli, 3–4 EL geriebener Käse, Butterflocken

Die Zwiebel fein wiegen, im heißen Öl hell dünsten, das gewaschene, abgetrocknete Fleisch zugeben, anrösten und mit den vorbereiteten Gemüsen kurz dünsten. Die heiße Brühe zugießen und alles bei geringer Hitze garen. Zuletzt abschmecken und mit der Sahne verfeinern. Mit Ravioli lagenweise in eine gefettete Auflaufform füllen, Käse und Butterflocken darüberstreuen und das Gericht im vorgeheizten Ofen bei mittlerer Hitze etwa 20 Minuten backen.

Zigeunerauflauf

300 g Zwiebeln, Fleischbrühe, knapp $^1/_8$ l saure Sahne, knapp $^1/_8$ l Weißwein, 1 gestrichener TL Kartoffelmehl, Zitronensaft, Salz, 150 g gegarte Spaghetti, 375 g Hackfleisch, 40–50 g Fett, 1 EL Tomatenketchup, Salz, Paprika, Butterflocken, 2 Eier

Die geschälten Zwiebeln in Scheiben geschnitten etwa 15 Minuten in der Fleischbrühe kochen. Sahne und Weißwein zu den abgetropften Zwiebeln geben, mit dem angerührten Kartoffelmehl binden und mit Zitronensaft und Salz abschmecken. Das Zwiebelpüree in eine gefettete Auflaufform füllen, darüber die Hälfte der Spaghetti geben. Den Auflauf mit dem in Fett angebratenen, mit Ketchup, Salz und Paprika gewürzten Hackfleisch und den restlichen Spaghetti abschließen. Mit Butterflocken bestreuen. Die Backzeit beträgt bei mittlerer Hitze etwa 20 bis 30 Minuten. Kurz vor Beendigung der Backzeit die verquirlten, gewürzten Eier darübergeben und stocken lassen.

Herrenauflauf

350 g Bratwurstbrät, 4–6 EL Semmelbrösel, 2–3 Eier, Salzwasser, 250 g gegarte Spätzle (Formnudeln oder hausgemachte Spätzle), 500 g gegartes Sauerkraut, 3–4 Tomaten, Salz, $^1/_8$ l Sahne

Bratwurstbrät mit Semmelbröseln und Eiern zu einer glatten Farce verrühren. Mit einem Teelöffel kleine Klößchen abstechen und in Salzwasser garen. Die Klößchen lagenweise mit den Spätzle und dem warmen Kraut in eine gefettete Auflaufform füllen, mit Tomatenscheiben abdecken, würzen und mit Sahne übergießen. Den Auflauf im vorgeheizten Ofen bei mittlerer Hitze etwa 30 Minuten backen.

Raviolischnellgericht

Eine 1-kg-Dose Ravioli, beliebige Krautreste, 250 g Corned beef, 1/4 l Brühe, 5 EL Tomatenmark, knapp 1/4 l saure Sahne, 5–6 EL geriebener Parmesankäse

Die Ravioli in zwei Lagen, mit dem Kraut dazwischen, in eine gefettete, feuerfeste Form schichten. Corned beef zerkleinern und mit der Brühe erhitzen, Tomatenmark, Sahne und Käse darunterrühren und über das Ganze gießen. Auflauf bei mittlerer Hitze 10 bis 15 Minuten backen. Dazu wird eine pikante Bratensoße gereicht.

Nudelauflauf Rusticana

60 g Butter oder Margarine, 1 Zwiebel, 250 g gekochte Makkaroni, 2 Ecken Kräuterschmelzkäse, 4 hartgekochte Eier, 1–2 TL Semmelbrösel, Salz, 1 EL kleingehackter Schnittlauch, 1/4 l Milch, 2 Eier, Butterflöckchen, 1 Gewürzgurke

20 g Butter erhitzen, die kleingeschnittene Zwiebel hell rösten und unter die gegarten Makkaroni mischen. Die Hälfte davon in eine gefettete Auflaufform geben. Käse in Stückchen zerteilen und einen Teil zwischen die Makkaroni legen. Die Eier schälen, halbieren, Eidotter herausnehmen, mit einer Gabel zerdrücken oder durch ein Sieb passieren und 40 g schaumig gerührte Butter, Semmelbrösel, Salz und Schnittlauch daruntermischen. Die Fülle abschmecken und auf die Eihälften verteilen. Diese auf die Makkaroni setzen und mit den restlichen Makkaroni und Käsestückchen bedecken. Milch mit den Eiern verquirlen, würzen und darübergießen. Auflauf mit Butterflöckchen belegen und bei mittlerer Hitze 30 bis 40 Minuten backen. Mit Gurkenscheiben garnieren. Als Beilage eignen sich grüne Salate.

Überbackenes Gurkenfrikassee

250 g Makkaroni, Salzwasser, 1 Salatgurke, 60 g Fett oder
Öl, Salz, Paprika, Essig, 250 g gedünstete Champignons,
einige Kapern, 2 EL Semmelbrösel, Butterflöckchen, 2 EL
kleingehackter Dill

Die Makkaroni in Stücke brechen und in Salzwasser garen.
Abgetropft die Hälfte davon in eine gefettete Auflaufform
geben. Gurke schälen, der Länge nach halbieren, entkernen
und in dicke Scheiben schneiden. Diese in dem heißen Fett mit
den Gewürzen und einem Schuß Essig dünsten. Champignons
und Kapern zuletzt dazugeben. Das Gemüse auf die Makkaroni geben, mit den restlichen Makkaroni bedecken, Semmelbrösel und Butterflöckchen darüberstreuen und den Auflauf
bei mittlerer Hitze 20 bis 30 Minuten backen. Mit Dill
bestreut anrichten. Dazu Frikadellen, Klopse oder Bratwürste.

Schnitzel Ticino

250 g gegarte Makkaroni, 500 g in Scheiben geschnittene
Tomaten, 4 Kalbs- oder Schweineschnitzel, Salz, Pfeffer,
Mehl, 40 g Butter oder Margarine, 1 kleine Dose Ragout
fin, 1 Gewürzgurke, Zitronensaft, Worcestersauce, 4
Scheiben Käse, Paprika

Die Makkaroni mit den Tomaten vermischen und in eine
gefettete Auflaufform geben. Schnitzel waschen, abtrocknen,
salzen und pfeffern, in wenig Mehl wenden und im heißen
Fett beidseitig kurz anbraten. Auf die Makkaroni legen; das
erwärmte Ragout fin mit der kleingehackten Gewürzgurke,
etwas Zitronensaft und Worcestersauce abschmecken und über
die Schnitzel verteilen. Käsescheiben darauflegen und das
Ganze bei mittlerer Hitze etwa 15 Minuten überbacken. Mit
Paprika überpudern. Dazu Chicoréesalat reichen.

Pikanter Hackfleischauflauf

250 g Makkaroni, Salzwasser, 2 Zwiebeln, 2–3 EL Pflan-
zenöl, 375 g gemischtes Hackfleisch, 1 EL Mehl, 3 Toma-
ten, Curry, Salz, Paprika, 1 Tasse Sauermilch, 1 Gewürz-
gurke, Semmelbrösel, Butterflöckchen

Die Makkaroni in Stücke brechen und in Salzwasser garen.
Die feingewiegten Zwiebeln im heißen Öl, zusammen mit
dem Fleisch, anbraten. Mehl darüberstäuben, kleingeschnittene, im Mixer pürierte oder durch ein Sieb gerührte Tomaten
und Gewürze zugeben. Alles nur so lange braten, bis das
Fleisch seine Farbe verloren hat. Nun die Sauermilch und die
kleingehackte Gurke daruntermischen. Eine gefettete Auflaufform im Wechsel mit den Makkaroni und dem Fleischgemisch
füllen. Die oberste Lage müssen Makkaroni sein. Semmelbrösel und Butterflöckchen darüberstreuen und den Auflauf bei
mittlerer Hitze 25 bis 30 Minuten backen. Dazu Rohkostsa-
late.

Reisaufläufe

Reis ist schnell zubereitet, leicht verdaulich und auch in der Diätküche vielseitig verwendbar.

Er wird gekocht, indem man eine Tasse Reis mit zwei Tassen kochendem Wasser ansetzt, aufkocht und bei geschlossenem Topf auf kleiner Flamme gart. Besonders körnig wird er, wenn man ihn mit reichlich kaltem Wasser aufsetzt, zum Kochen bringt, das Wasser abgießt, ihn auf einem Sieb abschreckt, mit reichlich kaltem Wasser neu aufsetzt und offen zehn Minuten kocht. Auf einem Sieb abgetropft, ist er fertig, um weiter verwendet zu werden. Bei vorbehandelten Reisarten muß die Kochanweisung genau beachtet werden.

Allein gegessen, schmeckt Reis fade. Charakter erhält er erst, wenn er zusammen mit intensiv schmeckenden Nahrungsmitteln, wie kleingeschnittenem Fleisch, Wurst, Pilzen und Gewürzen, verwendet wird. Zum Beispiel ist Käse eine ideale Ergänzung.

Als Beilage eignen sich Salate und wie bei den meisten Aufläufen eine pikante Sauce.

Reisauflauf Colombo

250 g körnig gekochter Reis, Salz, 4 Eier, 2 EL Wasser, eine Handvoll kernlose Traubenbeeren oder Mandarinenschnitze, 1 EL blättrig oder in Stifte geschnittene Mandeln, etwa 250 g gebratenes, kleingeschnittenes Geflügel- oder Kalbfleisch (Reste)

Den heißen Reis abschmecken und in eine gefettete Auflaufform füllen. Eier, Wasser und etwas Salz verquirlen, Trauben oder Mandarinen (man kann auch Rosinen verwenden) sowie Mandeln und Fleisch dazugeben und alles über den Reis verteilen. Den Auflauf bei mittlerer Hitze 10 bis 20 Minuten überbacken. Dazu gibt es einen Gemüsesalat.

Berliner Reistopf

*2 Zwiebeln, 500 g in Würfel geschnittenes Rindfleisch,
40 g Fett, etwa ½ l Brühe, 2 Stangen Porree (Lauch),
250 g gegarter Reis, Curry, Salz, etwas Fleischbrühe,
100 g in Scheiben geschnittener Käse, Paprika*

Die feingewiegten Zwiebeln mit dem Fleisch in dem heißen
Fett anbraten, Brühe zugießen, kleingeschnittenen Porree
zufügen und garen. Reis mit Curry und Salz würzig
abschmecken und eine gefettete Auflaufform lagenweise mit
Fleisch und Reis füllen. Mit Reis abschließen. Käse darüberlegen und das Gericht bei mittlerer Hitze im Backofen etwa 15
bis 20 Minuten Farbe annehmen lassen. Mit Paprika bestreut
anrichten. Dazu paßt ein Salat à la Saison.

Orientalischer Auflauf

*1 Tasse gedünstete Sojabohnenkeimlinge, 200 g kleinge-
schnittene, gedünstete Karotten (Reste), 250 g körnig
gekochter Reis, Salz, Curry, 300 g geschnetzeltes Rind-
oder Hammelfleisch, 1 EL Pflanzenöl, 1 Tasse Sahne oder
Dosenmilch, 1 EL Tomatenmark, 3 EL geriebener oder
zerbröckelter Schafskäse, ¼ Salatgurke, 2 Tomaten,
Paprika*

Die Sojabohnen und Karotten unter den Reis mischen und mit
Salz und Curry abschmecken. Fleisch ganz kurz in heißem Öl
anbraten, Sahne und Tomatenmark zugeben, gut umrühren
und würzen. Eine gefettete Auflaufform im Wechsel mit dem
Reis und dem Geschnetzelten mit der Sauce füllen, Käse darüberstreuen und den Auflauf im vorgeheizten Backofen bei
mittlerer Hitze etwa 20 Minuten backen. Das Ganze mit Gur-
ken- und Tomatenscheiben garnieren und mit Paprika überpudern.

Bunter Gemüseauflauf

3 Karotten, 1 Stange Porree (Lauch), 2 Paprikaschoten, 1–2 Kohlrabi, 1/4 Salatgurke, 40–50 g Fett, 1 gebratenes Schweineherz (oder Bratenreste), 250–300 g körnig gekochter Reis, Salz, Bratensauce, Semmelbrösel, Butterflöckchen

Das Gemüse, ausgenommen die Gurke, vorbereiten, kleinschneiden, zu dem heißen Fett geben, garen und würzen. Erst kurz ehe das Gemüse fertig ist, die in Scheiben geschnittene Gurke dazugeben. Das Herz oder restlichen Braten in dünne, kleine Scheiben schneiden und unter den gewürzten Reis mischen. Eine gefettete Auflaufform im Wechsel mit dem Gemüse und dem Reis füllen. Etwas Bratensauce darübergießen, mit Semmelbröseln bestreuen, Butterflöckchen daraufsetzen und das Gericht bei mittlerer Hitze etwa 20 Minuten backen.

Blumenkohlauflauf mit Curryreis

200 g gegarter Curryreis, 1 gedünsteter Blumenkohl, 2 hartgekochte Eier, 200 g angebratenes Tatarfleisch, Salz, Muskat – Zur Einbrenne: 40 g Butter, 30 g Mehl, 1/8 l Sahne, 1/4 Liter Blumenkohlwasser, 1 Eigelb, 1 EL Semmelbrösel, 2–3 EL geriebener Käse, Paprika

Eine gefettete Auflaufform mit dem Reis und dem zerlegten Blumenkohl füllen. Darüber die Eischeiben und das gewürzte Fleisch verteilen. Aus Butter und Mehl eine helle Einbrenne bereiten, mit Sahne und Blumenkohlwasser ablöschen, abschmecken, mit dem Eigelb legieren und darübergießen. Semmelbrösel und Käse daraufstreuen und den Auflauf bei mittlerer Hitze 25 bis 30 Minuten backen. Mit Paprika bestreut anrichten.

Gemüse Pulao aus Indien

*250–300 g körnig gekochter Langkornreis, Salz, Curry,
3–4 EL Pflanzenöl, 2 Zwiebeln, 3 Karotten, 1 Stange Porree (Lauch), 1 Tasse Erbsen oder Mais aus der Dose, 3–4
Tomaten, 1–2 Tassen Brühe, 2 EL kleingehackte Petersilie, 1/2 l Tomatensauce, Butterflöckchen*

Den gegarten Reis würzig mit Salz und Curry abschmecken.
Öl erhitzen, das vorbereitete, kleingeschnittene Gemüse anbraten, wenig Brühe zugießen und garen. Das Gemüse würzen und mit der Petersilie unter den Reis mischen. Alles in
eine gefettete Auflaufform füllen, die heiße Tomatensauce
darübergießen, Butterflöckchen obenauf setzen und das
Gericht bei mittlerer Hitze 20 bis 25 Minuten backen.

Reisauflauf Torero

*250 g Brühreis, 5 EL Öl, gut 1/2 Liter Brühe, 500 g
Tomaten, 200 g Hackfleisch, Salz, Basilikum, Muskat, 1
Banane, 3 EL geriebener Käse, 20 g Butter*

Reis mit einem sauberen Tuch abreiben. 3 EL Öl erhitzen, Reis
darin kurz durchrühren, 1/2 l heiße Brühe zugießen, Topf
zudecken und bei geringer Hitze im Backofen ausquellen lassen. Tomaten in Scheiben schneiden. Das restliche Öl erhitzen,
Hackfleisch zugeben, kurz anbraten, Salz, Basilikum und Muskat darüberstreuen und mit einer Tasse Brühe ablöschen.
Zuerst den Reis, die Hälfte der Tomaten, das Fleisch und dann
die restlichen Tomaten in eine gefettete Auflaufform füllen.
Die in Scheiben geschnittene Banane, den Käse und einige
Butterflöckchen darüber verteilen. Auflauf 30 bis 40 Minuten
bei mittlerer Hitze überbacken.

Reisgericht Costa Brava

*250–300 g körnig gekochter Reis, Salz oder Streuwürze,
Paprika, 250 g gekochter Schinken oder gegartes Hühnerfleisch, 500 g Tomaten, 250 g Krabben, 4 Eier*

Den Reis pikant würzen. Schinken oder Fleisch in Würfel,
Tomaten in Scheiben schneiden, mit den gewässerten Krabben
unter den Reis mischen und in eine gefettete Auflaufform füllen. Eier verquirlen, darüber verteilen und das Gericht bei
mittlerer Hitze 15 bis 20 Minuten überbacken.
Dieses Gericht, herzhaft gewürzt und mit frischen Salaten
gereicht, schmeckt besonders dem starken Geschlecht ausge-
zeichnet.

Grünes Risottogericht

*1 Paket Tiefkühlspinat (600 g), 40 g Butter, 2 Zwiebeln,
Salz, Paprika, Muskat, 2 Scheiben gekochter Schinken,
80 g geriebener Käse, 2 EL Öl, 300 g Brühreis, ³/₄ l
Brühe, 2 EL gehackter Dill, 4 kleine, gedünstete Tomaten*

Den Spinat nach Vorschrift auftauen, Butter, eine feingewiegte Zwiebel, Paprika, Muskat, den kleingeschnittenen
Schinken und nach Geschmack einen Teil des geriebenen
Käses daruntermischen. Öl erhitzen, die zweite feingewiegte
Zwiebel hellgelb dünsten. Den ungewaschenen, in einem Tuch
abgeriebenen Reis dazugeben und so lange darin dünsten, bis
er glasig ist. Die heiße Brühe zugießen und den Reis bei
geringer Hitze ausquellen lassen, bis die Brühe aufgesogen ist.
Würzen und in die Mitte einer gefetteten Auflaufform tür-
men. Um den Reis herum, als Rand also, den Spinat anrichten.
Reichlich Käse darüberstreuen und das Gericht bei mittlerer
Hitze etwa 15 Minuten überbacken. Mit Dill bestreuen und
mit Tomaten garnieren. Dazu paßt gebackener Fleischkäse.

Überbackenes jugoslawisches Reisfleisch

3 Zwiebeln, 80 g Fett, 4 Paprikaschoten, Salz, Paprika, 1 Tasse Brühe, 6 Tomaten, 2¹/₂ Tassen Langkornreis, Bratenreste, 50 g geriebener Schafskäse

Die feingewiegten Zwiebeln in dem erhitzten Fett glasig dünsten. Die entkernten Paprikaschoten in Streifen schneiden, dazugeben, andünsten, würzen und die heiße Brühe darunterrühren. Die Tomaten überbrühen, abziehen, zerkleinern, nach etwa 10 Minuten Kochzeit dazufügen und das Gemüse garen. Den Reis nach dem Waschen in reichlich Wasser zum Kochen bringen. Das Kochwasser abgießen und den Reis mit frischem, etwas gesalzenem Wasser bei geringer Hitze 10 bis 12 Minuten körnig kochen, auf ein Sieb schütten und abtropfen lassen. Kleingeschnittene Bratenreste und das Gemüse unter den Reis mischen, abschmecken, in eine gefettete Auflaufform füllen und bei mittlerer Hitze 20 bis 30 Minuten backen. Das Gericht mit geriebenem Käse bestreut servieren.

Indonesisches Reisgericht

250 g körnig gekochter Reis, 2 EL in Stifte geschnittene, hell geröstete Mandeln, 4–5 EL Olivenöl, 200 g Zwiebeln, 500 g gemischtes Hackfleisch oder geschnetzeltes Schweinefleisch, Curry, Paprika, Salz, 3–4 EL Tomatenmark, 250 g blättrig geschnittene, gedünstete Champignons, 5 Scheiben Ananas

Die Mandeln unter den warmen Reis mischen. Öl erhitzen, die kleingeschnittenen Zwiebeln hell dünsten, Fleisch zugeben, würzen und, wenn das Fleisch die Farbe verloren hat, Tomatenmark daruntermischen. Eine gefettete Auflaufform im Wechsel mit Reis, Fleisch und Champignons füllen. Mit kleingeschnittenen Ananasstückchen belegen und das Gericht, das sättigt und gut schmeckt, etwa 25 Minuten bei mittlerer Hitze backen. Dazu grüner Salat.

Grün-roter Reisauflauf

Ca. 250 g Curryreis, 500 g grüne Paprikaschoten, 500 g Tomaten, 5–6 EL Pflanzenöl, Salz, Pfeffer, 1 Prise Knoblauch, 4 Eier

Den Reis in eine gefettete Auflaufform füllen. Die Paprikaschoten entkernen, in feine Streifen schneiden und etwa 10 Minuten im heißen Öl dünsten. Tomaten mit heißem Wasser überbrühen, abziehen und unzerteilt zu den Schoten geben. Würzen, auch einen Hauch Knoblauch zugeben und das Gemüse so lange dünsten, bis es ganz weich ist. Auf dem Reis verteilen. Den Auflauf bei mittlerer Hitze für etwa 20 Minuten in den Backofen schieben. In den letzten 5 Minuten die Eier darüber aufschlagen und stocken lassen. Dazu eine würzige Tomatensauce reichen.
Das Gemüse kann auch auf Kartoffelbrei angerichtet und überbacken werden.

Arabisches Hammelragout, überbacken

3 Paprikaschoten, 1 kleine Dose Maiskörner oder Erbsen, 375 g in kleinere Würfel geschnittenes, gebratenes Hammelfleisch, 200 g gegarter Brühreis, Streuwürze, 1 Tasse milder Weinessig, 1/2 l Brühe, 3 EL Tomatenmark, 1 Zwiebel, 20 g Butter

Die entkernten Paprikaschoten in dünne Streifen schneiden. Diese zusammen mit dem anderen abgetropften Gemüse und dem Fleisch unter den gewürzten Reis mischen und in eine gefettete Auflaufform füllen. Essig erhitzen, zu einer heißen Brühe geben und das Tomatenmark darunterrühren. Die Sauce über den Auflauf verteilen und diesen bei mittlerer Hitze 30 bis 40 Minuten backen. Zwiebel fein wiegen, in Butter hell rösten und darüber anrichten.
Zu diesem Auflauf können auch gedünstete Kohlrabi verwendet werden.

Spargel mit Sauce Mornay

250 g Brühreis, Salzwasser, 1 feingewiegte, gedünstete Zwiebel, 3/4 kg Spargel, 4 EL geriebener Parmesankäse, Salz — Zutaten zur Sauce: 80—100 g Butter, 2 EL Mehl, 1/2 l Spargelwasser, 50 g geriebener Parmesankäse, 50 g geriebener Emmentaler Käse, 2 Eigelb

Zwiebel unter den körnig gekochten Reis mischen, diesen abschmecken und in eine gefettete Auflaufform füllen. Die Spargel schälen, in 4 bis 5 cm lange Stücke schneiden und in Salzwasser garen. Die abgetropften Spargel lagenweise mit Parmesankäse bestreuen und auf dem Reis anrichten. Zur Sauce Mornay Butter erhitzen, Mehl anschwitzen, mit dem Spargelwasser ablöschen, mit beiden Käsesorten binden, mit dem Eigelb legieren und über den Auflauf gießen. Butterflöckchen darauf verteilen und die Speise bei mittlerer Hitze 15 bis 20 Minuten im vorgeheizten Ofen goldgelb backen. Vorsicht, die Spargel dürfen beim Gratinieren nicht eintrocknen! Dazu Salat.

Thunfischragout mit Reis

1 Beutel Champignonsuppe, 3/4 l Brühe, 1 kleine Dose Champignons, 1 Eigelb, 3 EL Sahne, 2 Dosen Thunfisch (je 200 g), ein Schuß Sherry, 300 g körnig gekochter Reis, Salz, 1 rote Paprikaschote, 2 EL feingewiegte Petersilie, 2 EL blättrig geschnittene Mandeln

Die Champignonsuppe nach Vorschrift zubereiten. Die Champignons aus der Dose dazugeben; die Suppe mit Eigelb und Sahne legieren. Den abgetropften Thunfisch in Stücke teilen, zu der Suppe geben und diese mit Sherry abschmecken. Reis würzen, die in kleine Stücke geschnittene Paprikaschote und Petersilie zufügen. Reis im Wechsel mit dem Thunfischragout in eine gefettete Auflaufform füllen. Die Mandeln darüber verteilen und den Auflauf bei mittlerer Hitze 35 bis 40 Minuten backen. Dazu paßt jeder beliebige Salat

Auflauf Diabolo

250 g körnig gekochter Reis, Curry, 1 Zwiebel, 1 grüne Paprikaschote, 40 g Fett, 300 g geschnetzeltes Rind- und Schweinefleisch, Salz, 1 Dose Champignoncremesuppe (etwa 1/2 l), 2 EL Semmelbrösel, 3 EL geriebener Parmesankäse, Butterflocken, 2 EL gehackte Petersilie

Den Reis mit Curry würzig abschmecken. Die Zwiebel in dünne Scheiben schneiden, mit der gewaschenen, entkernten und kleingeschnittenen Paprikaschote zu dem heißen Fett geben und anbraten. Das geschnetzelte Fleisch 3 bis 4 Minuten mitbraten, salzen, die unverdünnte Suppe dazugeben, alles unter den Reis mischen und in die Form füllen. Semmelbrösel und Käse darüberstreuen, Butterflöckchen darauflegen und den Auflauf bei guter Mittelhitze 20 bis 30 Minuten backen. Mit Petersilie bestreuen.

Reispotpourri

4 Hammelkoteletts, Salz, Pfeffer, Fett, 4–5 EL Sahne oder Dosenmilch, 150 g Reis, 150 g Linsen, 1 Lorbeerblatt, 1 Zwiebel, einige Nelken, Salz, Paprika, 4–6 abgezogene Tomaten, 1/4–1/2 l Brühe, geriebener Käse

Die Koteletts würzen und in dem heißen Fett anbraten. Sahne zugießen und die Koteletts in dieser Sauce bei geringer Hitze etwa 10 Minuten durchziehen lassen. Reis und Linsen gesondert mit je 2 Tassen Wasser halbgar kochen. Lorbeerblatt und die mit Nelken besteckte Zwiebel in den Linsen mitkochen. Reis mit Salz und Paprika würzen; die Linsen abschmecken. Beides mit den in Scheiben geschnittenen Tomaten im Wechsel in eine gefettete Auflaufform füllen. Heiße Brühe zugießen und das Gericht bei mittlerer Hitze etwa 15 Minuten backen. Zuletzt die warmen Koteletts darauflegen, die sahnige Sauce darübergießen, mit Käse bestreuen und das Ganze bei guter Hitze nochmals für etwa 10 Minuten in den Backofen schieben.

Kalifornischer Reis I

*200 g körnig gekochter Reis, Salz, Muskat, 1–2 TL klein-
geschnittenes Mango-Chutney, 3 EL gehackte Mandeln
oder Walnüsse, gekochte oder gebratene kleingeschnittene
Geflügelreste, 2 saftige Äpfel, 125 g blaue Traubenbeeren*

Den Reis mit Muskat würzen und Mango-Chutney und Mandeln daruntermischen. Eine gefettete Auflaufform lagenweise
mit dem Reis, dem Geflügelfleisch und den geschälten, in kleine
Würfel geschnittenen Äpfeln füllen. Den Auflauf 20 bis 30
Minuten bei mittlerer Hitze backen und mit den Trauben garniert anrichten. Statt Trauben können auch abgezogene Pfirsichhälften verwendet werden.

Kalifornischer Reis II

*3–4 Tassen körnig gekochter Langkornreis, 250 g Corned
beef, 1 größere Zwiebel, 5 geschälte Tomaten aus der
Dose, Salz, grüne Pfefferkörner, 4 Pfirsichhälften aus der
Dose, etwas Butter, Weinbrand*

Corned beef in Würfel schneiden und zusammen mit dem
Reis im Wechsel in eine gefettete Auflaufform geben. Zwiebel
schälen, fein wiegen und dazwischen verteilen. Die Tomaten
darauflegen, vorher aber mit einer Gabel etwas zerdrücken
oder auch kleiner schneiden. Mit Salz und Pfefferkörner würzen und den Auflauf damit abdecken. Wenn notwendig, etwas
Tomatensaft aus der Dose darübergießen, damit der Auflauf
saftig und nicht zu trocken wird. Diesen nun in den vorgeheizten Backofen schieben und bei Mittelhitze etwa 30 Minuten backen. Kurz vor Beendigung der Backzeit die Pfirsiche in
etwas heißer Butter wenden und mit Weinbrand parfümieren.
Den Auflauf mit den Pfirsichen darüber servieren.

Feinschmeckerauflauf

500 g in Würfel geschnittenes Rind-, Schweine- und Kalb-
fleisch, 2–3 Zwiebeln, 80 g Fett, ³/₈ l Brühe, 2 EL
Tomatenmark, 1 Lorbeerblatt, Salz, 1 EL Kartoffelmehl,
Paprika, 2 Tropfen Tabascosauce, ein Schuß Weinbrand,
1 Prise Zucker, 250 g blättrig geschnittene, gedünstete
Champignons, 250 g körnig gekochter Langkornreis, 2–3
Tomaten, Butterflocken, 1 EL kleingehackte Petersilie

Fleisch und die kleingeschnittenen Zwiebeln im heißen Fett
gut anbraten. Heiße Brühe zugießen, Tomatenmark unterrühren, Lorbeerblatt und etwas Salz dazugeben und das Fleisch
zugedeckt langsam garen. Dieses Gulasch mit dem angerührten Kartoffelmehl binden und feurig mit Paprika, Tabascosauce und Weinbrand abschmecken. Eine Prise Zucker darf
nicht fehlen. Champignons daruntermischen. Eine gefettete
Auflaufform lagenweise mit Gulasch und Reis füllen. Die
oberste Lage sollte Reis sein. Tomaten überbrühen, schälen, in
Stücke schneiden und mit Butterflocken darüber verteilen. Den
Auflauf bei mittlerer Hitze 40 bis 50 Minuten backen und mit
Petersilie bestreut anrichten. Dazu gibt es Chicoréesalat.

Geflügelauflauf

300 g Brühreis, 1 Zwiebel, 60–80 g Fett, ³/₄ l Brühe, 4
Tomaten, etwa 300 g Geflügelfleisch (Reste eines Suppen-
huhnes), 200 g gedünstete Champignons, ¹/₄ l Weiße
Sauce, 2 EL Tomatenketchup, Salz, Pfeffer, 2 Eier, 75 g in
feine Scheiben geschnittener Speck

Den Reis in einem sauberen Tuch gut abreiben. Die Zwiebel
kleinschneiden und im heißen Fett etwas Farbe annehmen lassen. Reis zugeben, umrühren und so lange dünsten, bis er gla-

sig ist. Brühe erhitzen, zugießen und den Reis zugedeckt ausquellen lassen. Die Brühe muß ganz aufgesogen sein. Eine
gefettete Auflaufform mit der Hälfte des Reises und dazwischen einigen Tomatenscheiben füllen. Das kleingeschnittene
Hühnerfleisch und die Champignons auf die Reisschicht verteilen. Den restlichen Reis und dazwischen wieder einige Tomatenscheiben darüber verteilen. Die Weiße Sauce mit Tomatenketchup und Gewürzen abschmecken und darübergießen. Das
Gericht bei guter Mittelhitze etwa 30 Minuten backen und mit
hartgekochten Eischeiben und dem kurzgebratenen Speck garnieren.

Eierkuchenauflauf

2 Tassen Reis, Salzwasser, 1 Stück Butter, 1 Zwiebel,
2 EL Tomatenmark, Salz, Pfeffer, 5 dünne Eierkuchen,
4 EL geriebener Käse, 2 Eier, 1/8 l Sahne oder Dosen-
milch

Den gewaschenen Reis in reichlich Salzwasser einmal aufkochen lassen. Das Kochwasser abgießen, den Reis mit frischem,
kaltem Wasser zum Kochen bringen, in 10 Minuten körnig
kochen und dann auf einem Sieb abtropfen lassen. Die Butter
erhitzen, Zwiebelstückchen bräunen und zusammen mit dem
Tomatenmark unter den Reis mischen. Diesen pikant
abschmecken. Eine gefettete Auflaufform im Wechsel mit den
Eierkuchen und dem Reis füllen. Letzte Schicht muß ein
Eierkuchen sein. Käse, Eier und Sahne verquirlen, darübergießen und das Gericht bei mittlerer Hitze etwa 20 Minuten
backen. Die Speise heiß wie einen Kuchen schneiden. Dazu
Salat und Tomatensauce.

Käseaufläufe

In der Schweiz versteht man es meisterhaft, leckere Käsege-
richte zuzubereiten. Es gibt verführerische Rezepte. Die Aufläufe sind vielversprechend und sättigend.

Zwei-Käse-Kartoffeln

*750 g rohe Kartoffeln, 50 g geriebener Parmesankäse, 50 g
in Würfel geschnittener Emmentaler Käse, 3–4 EL Dosenmilch oder Sahne, 1 geh. TL Mehl, Salz, Kümmel, 1 Ei,
Butterflocken, ⁸/₈ l Brühe, 2–3 EL kleingehackte Petersilie, 2–3 EL geröstete Zwiebelstückchen*

Die Kartoffeln, bis auf zwei kleinere, schälen und in Scheiben
schneiden. Die zurückgelassenen Kartoffeln ebenfalls schälen,
reiben und Käse, Dosenmilch, Mehl, Gewürze und Ei daruntermischen. Kartoffelscheiben mit Butterflocken in eine gefettete Auflaufform geben, Brühe zugießen, Käsegemisch in
Flöckchen darauf verteilen und bei geringer bis mittlerer Hitze
im Backofen garen. Die Backzeit beträgt 60 bis 70 Minuten.
Petersilie und Zwiebel darüberstreuen. Dazu grüner Salat.

Ramequin

*4 Scheiben Weißbrot, 3–4 Eier, ¹/₂ l Milch, 125 g gerie-
bener Käse, Paprika*

Die gerösteten Scheiben in eine gefettete Gratinform legen.
Eigelb mit der Milch verquirlen, Käse darunterrühren, den
steifgeschlagenen Eischnee unterheben und alles über den
Toastscheiben verteilen. Ramequin im vorgeheizten Ofen bei
guter Hitze zu schöner Farbe backen und sofort auftragen.
Dazu paßt ein grüner Salat.

Parmesanspeise mit Tomatensauce

150 g gekochter Schinken, 1 Gewürzgurke, 65 g Butter, 65 g Mehl, 1/2 l Milch, 4 Eier, 125 g geriebener Emmentaler Käse, 1 EL kleingehackte Petersilie, Salz, Paprika

Schinken und Gurke kleinhacken und in eine gefettete Auflaufform geben. Butter erhitzen, Mehl hell anschwitzen, langsam die Milch unter Rühren zugießen und aufkochen. Den Topf vom Feuer nehmen, nach und nach die Eigelb, den Käse und die Petersilie zufügen. Diese Käsecreme mit Salz würzen, den steifgeschlagenen Eischnee unterheben und in die Form füllen. Mit Paprika bestäuben. Im vorgeheizten Ofen bei mittlerer Hitze 25 bis 30 Minuten backen. Dazu eine Tomatensauce.

Käseauflauf mit Champignons

1/2 Päckchen Tiefkühlblätterteig, 250 g magerer gekochter Schinken, 200 g Emmentaler Käse, 225 g blättrig geschnittene gedünstete Champignons, frisch oder aus der Dose, 1/2 Sträußchen Petersilie, Eigelb, 2–3 EL Milch, 3–4 gefüllte Oliven

Den Blätterteig nach dem Auftauen dünn ausrollen und in eine flache, gefettete Auflaufform legen. Schinken und Käse in kleine Würfel schneiden, mit den gut abgetropften Champignons mischen und in die Form füllen. Kleingehackte Petersilie dazwischenstreuen. Eigelb mit der Milch verquirlen und darübergießen. Nicht würzen, da Schinken und Käse bereits scharf genug sind. Den Auflauf bei schwacher Hitze etwa 50 Minuten backen und mit Olivenscheiben garniert anrichten. Dazu passen Salate.

Roter Käseauflauf

50 g Kartoffelmehl, 70 g Butter, 1/4 l Milch, 1/4 l Dosenmilch, 125 g Corned beef, 100 g geriebener Käse, Salz, Paprika, 1 EL kleingehackte Petersilie, 3 Eier

Das Kartoffelmehl zu der erhitzten Butter geben und unter Rühren die Milch zufügen. Zerkleinertes Corned beef und Käse daruntermischen. In die abgekühlte Masse die mit Salz, Paprika und Petersilie verquirlten Eigelb rühren, den steifgeschlagenen Eischnee darunterziehen und in eine gefettete Auflaufform füllen. Das Ganze bei mittlerer Hitze 20 bis 25 Minuten zu schöner Farbe backen. Als Beilage eignet sich Blattsalat.

Schweizer Käseauflauf

3/4 l Milch, 80 g Butter, Salz, 200 g Mehl, 5 Eier, 100 g Parmesan- oder Sbrinzkäse, 100 g Emmentaler, einige Tropfen Tabascosauce, 2 EL feingeschnittener Schnittlauch

Milch, Butter und Salz aufkochen, das gesiebte Mehl im Sturz hineinschütten und rühren, bis sich die Masse von der Kasserolle löst. Etwas auskühlen lassen, Eigelb, geriebenen Käse, vorsichtig Tabascosauce und Schnittlauch einrühren und zuletzt den steifen Eischnee unterziehen. In eine gebutterte Auflaufform füllen und bei mittlerer Hitze 30 bis 35 Minuten backen.

Pikanter Scheiterhaufen

10–12 Weißbrotschnitten, 200 g gekochter Schinken, 200 g in Scheiben geschnittener Käse, 3 Eier, etwa 2 Tassen Milch, Salz, Muskat, 1 EL gehackte Petersilie, 30 g Butter

Eine gefettete Auflaufform mit einem Drittel der Weißbrotscheiben auslegen. Die Form im Wechsel mit kleingeschnittenem Schinken, in Dreiecke geschnittenem Käse und Weißbrot füllen. Mit Weißbrot abdecken. Eier mit der Milch verquirlen, pikant würzen, Petersilie zugeben und über den Auflauf gießen. Butterstückchen darauf verteilen und bei mittlerer Hitze 20 bis 30 Minuten backen. Dazu paßt beliebiger Salat.

Grieß-Käse-Auflauf

1 l Milch, 1 Prise Salz, 5 EL Grieß, 150 g feingewürfeltes Rauchfleisch, 2 EL kleingehackte Petersilie, 300 g geriebener Käse, 4 Eier, 30 g Butter

Die Milch mit Salz zum Kochen bringen, Grieß unter Rühren einlaufen lassen und einen Brei kochen. Ehe dieser dick wird, Rauchfleisch, Petersilie und Käse daruntermischen und weiterrühren, bis der Käse geschmolzen ist. Topf vom Feuer nehmen. Eigelb und zuletzt den steifgeschlagenen Eischnee unterziehen. Die Grießmasse in eine gefettete Auflaufform füllen, mit Butterflöckchen belegen und bei geringer Hitze etwa eine Stunde backen. Dazu paßt ein Gurkensalat und eine würzige Sauce.

Pikante Gnocchispeise

Je 1/2 l Milch und Wasser, 20 g Butter, 1 TL Salz, 150 g Grieß, 100 g geriebener Emmentaler Käse, 100 g roher Schinken, 1/4 l Milch, 2 Eigelb, 20 g Butter, 1 EL Semmelbrösel und Schnittlauch

Milch mit Butter und Salz zum Kochen bringen, Grieß einrühren und quellen lassen. Grießmasse dick auf ein mit kaltem Wasser abgesprühtes Backbrett streichen. Nach dem Erkalten in Vierecke schneiden und diese im Wechsel mit dem Käse und dem würflig geschnittenen Schinken in eine gefettete Auflaufform füllen. Milch mit Eigelb, Butter, Semmelbröseln und Schnittlauch verquirlen, würzen, darübergießen und das Ganze bei mittlerer Hitze 25 bis 35 Minuten backen.

Eierpaprika

100 g Rauchfleisch oder gekochter Schinken, 3 Paprika-
schoten, 30–40 g Butter oder Margarine, 6 Eier, ¹/₄ l
Sahne oder Dosenmilch, Salz, Pfeffer, 100 g Emmentaler
Käse, 1 Sträußchen Petersilie, 1 paar Oliven

Das Rauchfleisch in kleine Würfel schneiden und in eine gefettete Auflaufform legen. Die Paprikaschoten halbieren, entkernen, waschen, in Streifen schneiden, im Fett kurz dämpfen
und in die Form geben. Eier mit Sahne oder Milch, Salz und
Pfeffer verquirlen und den in Stifte oder kleine Würfel
geschnittenen Käse und die feingewiegte Petersilie daruntermischen. Über dem Gemüse verteilen. Das Gericht bei geringer bis mittlerer Hitze im vorgeheizten Ofen 20 bis 30 Minuten backen. Mit in Scheiben geschnittenen Oliven garnieren.

Käse-Tomaten-Auflauf

Teig: 150 g Mehl, 75 g Butter oder Margarine, 1 Messer-
spitze Salz, 1 Ei – Fülle: 5–6 dünne Scheiben Emmentaler
Käse, 3 Brötchen (in Scheiben geschnitten), 5 Tomaten,
¹/₂ l saure oder süße Sahne, 4 Eier, Salz, Paprika, Butter-
flöckchen

Aus Mehl, Butter, Salz und Ei einen glatten Teig kneten. Diesen etwas kühl ruhen lassen, ausrollen und in eine gefettete,
flache Auflaufform legen. Darauf im Wechsel Käse, Brötchen
und Tomatenscheiben legen. Sahne mit Eiern verquirlen, würzen und darübergießen. Butterflöckchen darauf verteilen und
die Speise bei mäßiger Hitze goldgelb backen. Sofort mit Chi-
corée- oder einem anderen Salat servieren.

Fischaufläufe

Fisch ist vielseitig und als Zutat zu Aufläufen sehr gut zu verwenden. Dies trifft besonders auf Fischreste zu wie Rotbarsch, Kabeljau und Schellfisch. In Verbindung mit Gemüse, Kräutern, Gewürzen und einer Weißen Sauce lassen sich vorzügliche Aufläufe bereiten.
Als Beilage eignen sich je nach Rezept Kartoffeln, Reis, eine Sauce und Salate.

Nordseeauflauf

750 g gekochte Kartoffeln, 1 kleine Dose Erbsen oder 1 Paket Tiefkühlerbsen, 30–40 g Butter, $^1/_4$ l Weiße Sauce, 100 g Krabben oder Räucherlachs, 3 Scheiben Käse

Die geschälten, in Scheiben geschnittenen Kartoffeln im Wechsel mit den in Butter gedünsteten Erbsen in eine gefettete Auflaufform schichten. Unter die Sauce die gewässerten Krabben oder den Lachs mischen und über den Kartoffeln verteilen. Den Käse in Dreiecke schneiden, den Auflauf damit garnieren und bei mittlerer Hitze etwa 30 Minuten backen.

Fischpfannkuchen gratiniert

Restliche Pfannkuchen, streichfähiges Fischragout (Reste), $^1/_4$ l saure Sahne, geriebener Käse

Die Pfannkuchen mit dem Fischragout bestreichen, zusammenrollen, in eine gefettete, flache Auflaufform legen, Sahne darübergießen, mit Käse bestreuen und bei mittlerer Hitze 20 bis 30 Minuten backen.

Friesisches Inselgericht

750 g gekochte, in Scheiben geschnittene Kartoffeln, Fett, 50 g geriebener Käse, 2 EL kleingehackte Petersilie, 500 g gebackener oder gekochter Fisch, Salz, 4 Eier, ³/₈ l saure Sahne, 100 g marinierte, rote Paprikaschoten

Die Kartoffeln in Fett kurz braten, Käse und Petersilie dazugeben, mitbraten und mit dem in kleine Stücke zerlegten Fisch vermischen, abschmecken. Alles in eine gefettete Auflaufform füllen, verquirlte Eier und saure Sahne darübergießen, würzen und bei mittlerer Hitze 35 bis 40 Minuten backen. Mit in Streifen geschnittenen Paprikaschoten garnieren.

Überkrusteter Rotbarsch

1 Zwiebel, 3 Paprikaschoten, 3 EL Pflanzenöl, 4 Rotbarschfilets, Salz, Pfeffer, Zitronensaft, 4 Tomaten, 1 Glas Weißwein, 1 Sträußchen Petersilie, ¹/₄ l saure Sahne, 3 EL geriebener Käse

Die Zwiebel fein wiegen, in dem heißen Öl (1 EL) glasig dünsten, die entkernten und in feine Streifen geschnittenen Paprikaschoten dazufügen, noch etwa 5 Minuten schmoren und in eine gefettete Auflaufform geben. Filetstücke waschen, salzen, pfeffern, säuern und auf das Gemüse legen. Pergamentpapier oder Alufolie darüberdecken und das Ganze im vorgeheizten Backofen bei mittlerer Hitze etwa 15 bis 20 Minuten garen. Die geschälten Tomaten im restlichen Öl dünsten, Wein und zuletzt gehackte Petersilie und Sahne dazugeben. Die Sauce über den Fisch verteilen, Käse darüberstreuen und das Ganze nochmals 5 bis 10 Minuten bei guter Oberhitze in den Backofen geben.

Südamerikanisches Fischgericht

500 g Fischfilet oder Räucherfisch, Salz, Pfeffer, Zitronen-saft, 250 g Zwiebeln, 3 Tomaten, 1–2 EL kleingehackte Küchenkräuter, 1/4 l Weiße Sauce, 2–3 TL geriebener Meerrettich, Senf oder Rum, 1–2 Gewürz- oder Salzgur-ken, Semmelbrösel, Butterflocken oder Öl

Die Fischstücke salzen, pfeffern, säuern und in eine gefettete, flache Auflaufform legen. Zwiebeln und Tomaten in Scheiben schneiden und die Fischstücke damit bedecken. Dazwischen die Kräuter streuen. Die Sauce kräftig mit Meerrettich, Senf oder Rum würzen und über den Fisch gießen; mit Gurkenscheiben bedecken, mit Semmelbröseln und Butterflocken bestreuen und bei mittlerer Hitze etwa 25 Minuten backen.
Anstatt der Weißen Sauce kann auch Sauermilch verwendet werden.

Überbackene Fischstäbchen

1 Paket tiefgefrorene Fischstäbchen, Fett zum Braten, 250 g Sahnequark, 3 EL Joghurt, je 1 EL gewiegte Petersi-lie und Zwiebel, 3 EL geriebener Käse, 1 TL Chilisauce, Butterflöckchen

Die unaufgetauten Fischstäbchen in dem heißen Fett von bei-den Seiten nach Anweisung braten. Dann in eine gefettete flache Auflaufform legen. Den Quark mit Joghurt, Zwiebel-stückchen, Petersilie und geriebenem Käse vermischen und mit Chilisauce abschmecken. Die Fischstäbchen damit abdecken. Einige Butterflocken darüber verteilen. Den Auflauf im vorge-heizten Backofen bei Mittelhitze 25 bis 30 Minuten backen.

Balkanspeise

500 g Kartoffeln, 4 Paprikaschoten, 500 g Rotbarschfilet, Salz, Zitronensaft, 1 feingewiegte Zwiebel, 2 Eigelb, Paprika, Butterflocken, 4 Eier, 2 EL Tomatenmark, $1/2$ l Brühe oder Milch

Die Kartoffeln schälen, waschen und in dünne Scheiben schneiden. Von den Schoten Deckel abschneiden und die Kerne entfernen. Fischfilets waschen, in kleine Stücke schneiden, salzen und mit Zitronensaft beträufeln. Zwiebel und verrührtes Eigelb daruntermischen, mit Paprika würzen, in die Schoten füllen und Deckel wieder aufsetzen. Schoten in eine gutgefettete Auflaufform setzen, dazwischen Kartoffelscheiben und Butterflocken. Die Eier mit dem Tomatenmark verquirlen, Brühe oder Milch zugießen, abschmecken und über die Schoten gießen. Das Gericht bei mittlerer Hitze 60 bis 70 Minuten im Ofen garen. Dazu gibt es grünen Salat.

Stolper Heringskartoffeln

750 g gekochte Kartoffeln, 3 Salzheringe, $3/4$ l saure Sahne oder Buttermilch, 3 Eier, Salz, 3 EL Semmelbrösel, 3–4 EL geriebener Käse, Butterflocken

Die Kartoffeln schälen und in dünne Scheiben schneiden. Die gewässerten Heringe abhäuten, entgräten und in kleine Würfel schneiden. Sahne mit den Eiern verquirlen und ganz leicht salzen. Eine gefettete Auflaufform mit der Hälfte der Kartoffeln, den Heringswürfeln und den restlichen Kartoffeln lagenweise füllen. Eiermilch darübergießen. Semmelbrösel, Käse und Butterflocken darüberstreuen und im vorgeheizten Ofen bei guter Mittelhitze 15 bis 20 Minuten überbacken.

Fischklopse im Reisrand

500 g Fischfilet, 2 Brötchen, Milch, 1 Ei, Salz, Pfeffer, Paprika, 80 g Fett, Salzwasser, Zitronensaft oder Essig, 1 Zwiebel, 200 g Champignons, 2 EL Mehl, 1/4 l saure Sahne, 1 Eigelb, 250 g körnig gekochter Reis, Kapern, 1 Sträußchen Petersilie

Das Fischfleisch kleinschneiden und mit den in Milch eingeweichten, ausgedrückten Brötchen, einem Ei, Salz, Pfeffer und Paprika durch den Fleischwolf drehen, 50 g Fett dazugeben, die Farce gut verrühren, kleine Klößchen formen und in kochendem, gesäuertem Salzwasser garen. Das restliche Fett erhitzen, die feingeschnittene Zwiebel darin glasig dünsten, die vorbereiteten, kleingeschnittenen Champignons dazugeben, kurz mitdünsten, Mehl darüberstäuben, mit Sahne auffüllen, mit Eigelb legieren. In einer gefetteten Auflaufform einen Reisrand anrichten, Fischklößchen und Champignons in die Mitte füllen und das Gericht mit 2 EL zurückbehaltener Sauce überglänzen. Bei mittlerer Hitze 15 bis 20 Minuten backen. Mit Kapern und kleingehackter Petersilie bestreut anrichten.

Fischgericht Madeleine

500 g Fischfilet, Salz, Zitronensaft, 1 Zwiebel, 3–4 Tomaten, 1 Sträußchen kleingehackte Petersilie, 1/4 l Weiße Sauce, 1 Eigelb, Meerrettich

Die Fischstücke salzen, säuern und in eine gefettete Auflaufform legen. Zwiebel und Tomaten in Scheiben schneiden und zusammen mit der Petersilie auf die Fischstücke legen. Die mit Eigelb legierte und mit Meerrettich würzig abgeschmeckte Sauce darübergießen und den Auflauf bei mittlerer Hitze 25 bis 30 Minuten backen. Dazu Salzkartoffeln.

Fischresteauflauf

1 Päckchen Kartoffelpüreepulver, $^1/_4$ l Milch, $^1/_2$ l Wasser, 1 EL feingehackte Kräuter, Muskat, Selleriesalz, 500 g gekochte Fischreste (Kabeljau, Schellfisch, Rotbarsch), 2 EL Tomatenketchup, $^1/_4$ l Weiße Sauce, Salz, 1 EL geriebener Meerrettich, 2 EL Semmelbrösel, 30 g Butter, geröstete Zwiebelstückchen

Nach Anweisung ein Kartoffelpüree bereiten, Kräuter und Gewürze darunterrühren und in eine gefettete Auflaufform füllen. Darüber zerkleinerte, entgrätete Fischstückchen, Tomatenketchup und die pikant mit Meerrettich und Salz abgeschmeckte Weiße Sauce geben. Semmelbrösel darüberstreuen, Butterflöckchen daraufsetzen und den Auflauf bei mittlerer Hitze in 20 bis 25 Minuten backen. Mit den Zwiebeln überstreuen. Dazu Gemüsesalat.

Römischer Fischauflauf

250 g Spaghetti, Salzwasser, 250 g Fischreste, 100 g Thunfisch aus der Dose, 125 g gedünstete Champignons, 2–3 Tomaten, 2 Eier, $^1/_4$ l saure Sahne oder Milch, 30–40 g geriebener Käse, $^1/_2$ Sträußchen Petersilie

Die Spaghetti zerkleinern, in Salzwasser garen und abtropfen lassen. Die Hälfte davon in eine gefettete Auflaufform geben. Darüber die zerkleinerten, mit abgetropftem Thunfisch vermischten Fischreste und Champignons verteilen. Die restlichen Spaghetti daraufgeben und mit Tomatenscheiben abdecken. Eier mit Sahne und Käse verquirlen, würzen und über das Ganze gießen. Den Auflauf bei mittlerer Hitze etwa 20 Minuten backen. Mit Petersilie bestreut anrichten.

Schwäbisches Felchengericht

*4 vorbereitete Felchen, Zitronensaft, Sardellenpaste, 100 g
in Scheiben geschnittener Speck, 4 Karotten, 2 EL kleingehackte Petersilie, 1 Messerspitze Zucker, Selleriesalz,
1/2 l süße Sahne, 3–4 EL geriebener Käse*

Die Felchen mit Zitronensaft beträufeln, etwa 10 Minuten beiseite stellen und dann sehr dünn mit Sardellenpaste bestreichen. Speck hell bräunen, in eine gefettete, flache Auflaufform
legen und darauf die Felchen geben. Dazwischen die geriebenen oder in kleine Stückchen geschnittenen, mit Petersilie,
Zucker und Selleriesalz gewürzten Karotten verteilen. Die
Sahne darübergießen, das Gericht mit Käse bestreuen und bei
mäßiger Hitze 20 bis 25 Minuten backen. Dazu gibt es kleine
gebratene Kartöffelchen und einen grünen Salat.
Die gebackenen Felchen können bei einem Festessen ohne Bei-
gabe als Vorspeise gereicht werden.

Gemüseauflauf mit grünen Heringen

*500 g Bohnen, Bohnenkraut, Salzwasser, 4–5 in kleine
Stücke geschnittene Heringsfilets, 500–750 g in der
Schale gekochte Kartoffeln, Salz, 50 g geriebener Käse,
Butterflöckchen, kleingehackte Petersilie*

Die Bohnen vorbereiten, kleinschneiden und zusammen mit
dem Bohnenkraut in Salzwasser garen. Eine gefettete Auflaufform im Wechsel mit Gemüse, Heringsfilets und gesalzenen
Kartoffelscheiben füllen. Die oberste Lage müssen Kartoffeln
sein. Käse und Butterflocken darüberstreuen und das Gericht
bei mittlerer Hitze 30 bis 40 Minuten backen. Mit Petersilie
bestreut anrichten.

Malaiisches Fischgericht

250 g Brühreis, 90 g Fett, ¹/₂ l heiße, gewürzte Brühe, 1 TL kleingeschnittenes Mango-Chutney, 500 g frisches oder tiefgekühltes Fischfilet, Zitronensaft, Salz oder Curry, 75 g kurz geröstete, geriebene Erdnüsse, knapp 1 Tasse Sahne oder Dosenmilch, 1 Banane, 1 EL blättrig geschnittene Mandeln

Den Reis mit einem Tuch abreiben, nicht waschen. 40 g Fett erhitzen, Reis glasig dünsten, die heiße Brühe zugießen und zugedeckt bei milder Hitze ausquellen lassen. Mango-Chutney daruntermischen und den Reis in eine gefettete Auflaufform füllen. Fischfilets säubern, in kleinere Stücke schneiden, säuern und würzen. Restliches Fett erhitzen, die abgetrockneten Fischstücke beidseitig anbraten und auf den Reis verteilen. Zu dem Fischfond etwas Curry geben und Erdnüsse und langsam die Dosenmilch unterrühren; die Sauce aufkochen, abschmecken und über den Fisch gießen. Bananenscheiben und Mandeln darüber verteilen und das Gericht im Ofen bei mittlerer Hitze etwa 15 Minuten überbacken.

Cadgery

250 g körnig gekochter Reis, Curry, 1 Dose Heringsfilets in Tomatensauce, 1 Beutel Weiße Sauce, ¹/₄ l halb Milch, halb Wasser, Senf, ¹/₈ l saure Sahne, 2 EL Semmelbrösel, Butterflocken, 1 rote marinierte Paprikaschote

Eine flache, gefettete Auflaufform im Wechsel mit Curryreis und Fischfilets sowie der Tomatensauce füllen. Nach Anweisung eine Weiße Sauce kochen, mit Senf und saurer Sahne abschmecken und über das Ganze gießen. Semmelbrösel, Butterflocken und Käse darüberstreuen und den Auflauf bei mäßiger Hitze etwa 30 Minuten backen. Mit Paprikaschotenstückchen garnieren. Dazu Mixed Pickles.

Seezungenauflauf à la Pompadour

*750 g Seezungenfilet, Salz, Pfeffer, Zitronensaft, Butter,
125 g Krabben oder Scampi, 150 g blättrig geschnittene,
gedünstete Champignons, 1/8 l Sahne, 1 gestr. TL Kartoffelmehl, 1/8 l trockener Vermouth, 3 EL geriebener
Käse*

Die Filetstücke würzen, säuern und mit reichlich zerlassener
Butter in eine Auflaufform legen. Krabben und Champignons
darüber verteilen und im vorgeheizten Ofen bei mittlerer
Hitze etwa 20 Minuten backen. Kartoffelmehl mit Sahne glattrühren, aufkochen und über die Filets gießen. Vermouth
zufügen, Käse darüberstreuen und bei Oberhitze kurz Farbe
annehmen lassen. Dazu passen Reis und verschiedene Salate.
Man kann, wenn das Gericht als Vorspeise verwendet wird,
Toastbrote und einen herben, gut gekühlten Weißwein dazu
reichen.

Seefisch mit Sauerkraut

*300 g gekochte Seefischfilets (Reste), 40 g Fett, 1 EL Mehl,
1 Tasse Brühe, Curry, 40 g Schweineschmalz, 500 g Sauerkraut, 1 Zwiebel, 1 paar Wacholderbeeren, 500 g in
Würfel geschnittene, halbweich gekochte Kartoffeln, Semmelbrösel, Butterflocken, geriebener Käse*

Die Filetstücke etwas zerkleinern. Fett erhitzen, Mehl
anschwitzen, mit der Brühe ablöschen und die Sauce mit Curry
würzig abschmecken. Schweineschmalz erhitzen, aufgelockertes
Sauerkraut, die kleingeschnittene Zwiebel und Wacholderbeeren dazugeben und etwa 30 Minuten bei geringer Hitze
kochen. Eine gefettete Auflaufform im Wechsel mit Sauerkraut, Kartoffeln und Fisch füllen; mit Kraut abdecken. Die
Sauce darübergießen und den Auflauf mit Semmelbrösel, Butterflocken und dick mit Käse bestreut bei mittlerer Hitze etwa
45 Minuten zu schöner Farbe backen.

Süße Aufläufe und Soufflés

Süße Aufläufe sind besonders beliebt, wo Kinder mit am Tisch sitzen. Die Mahlzeit ist vollständig, wenn vorweg eine Suppe oder ein Salatteller gereicht wird. Nimmt man nur die Hälfte der Zutaten, so kann jeder Auflauf auch als Nachtisch verwendet werden.

Als Beilagen eignen sich Kompott, frische Früchte oder süße Saucen.

Kastanienauflauf mit Kirschen

½ kg Kastanienpürree (fertiges oder von großen Maronen, gekocht, geschält und durchpassiert), 125 g Butter, 125 g Zucker, 4 Eier, 125 g Kirschen, 1 EL Weinbrand

Butter mit Zucker und Eigelb schaumig rühren. Das Kastanienpüree und die entsteinten, mit Weinbrand beträufelten Kirschen zufügen, Eischnee unterheben, in eine gebutterte Auflaufform geben und bei mittlerer Hitze 30 bis 40 Minuten backen. Mit Vanille-, Frucht- oder auch Weinschaumsauce servieren.

Schweizer Chriesitotsch

60 g Butter, 4 Eier, 80–100 g Zucker, 1 gestrichener TL Zimt, 750 g dunkle entsteinte Kirschen, 2–3 Brötchen, Milch, 50 g blättrig geschnittene Mandeln, Butterflöckchen, Staubzucker

Die Butter schaumig rühren, Eigelb, Zucker und Zimt dazugeben und die Kirschen sowie die in Scheiben geschnittenen, in der Milch eingeweichten und zerkleinerten Brötchen daruntermischen. Den steifgeschlagenen Eischnee unterziehen und die Brötchenmasse in eine gefettete Auflaufform füllen. Mandeln darüberstreuen, Butterflöckchen daraufsetzen und den Auflauf bei mittlerer Hitze 50 bis 60 Minuten backen. Dazu paßt eine Vanillesauce.

In manchen Gegenden wird der Auflauf mit $^1/_{10}$ Liter saurer Sahne übergossen gebacken. Das schmeckt sehr gut.

Großmutters Kirschenbaba

6 Eier, 100 g Zucker, 250 g im Ofen getrocknetes Schwarzbrot, 100 g geriebene Haselnüsse oder Mandeln, 1 Msp Muskat, 1 gestrichener TL Zimt, $^1/_2$ Päckchen Backpulver, etwa $^1/_4$ l Rotwein, 2 EL Rum, 1 kg entsteinte dunkle Kirschen, Aprikosenmarmelade

Eigelb und Zucker schaumig rühren, geriebenes Brot, Haselnüsse, Gewürze, Backpulver, Rotwein und Rum dazugeben. Kirschen darunterrühren und zuletzt den steifgeschlagenen Eischnee unterziehen. Den Kirschenteig in eine gefettete Auflaufform füllen und bei mittlerer Hitze 40 bis 50 Minuten backen. Den heißen Auflauf mit Aprikosenmarmelade bestreichen und Schokoladensauce dazu servieren.

Erdbeerauflauf mit Schuß

750 g Erdbeeren, 2 Scheiben Ananas, 80 g Zucker, $^1/_2$ Tasse Weinbrand, 4 Eier, 3 Päckchen Vanillezucker, 2 EL blättrig geschnittene Mandeln, 30 g Kartoffelmehl, 1 EL Puderzucker

Die gesäuberten, kleingeschnittenen Erdbeeren süßen und mit Ananasstückchen in eine gefettete Auflaufform geben. Weinbrand darübergießen. Eigelb mit Vanillezucker schaumig rühren, Mandeln dazugeben, Kartoffelmehl darübersieben und den steifgeschlagenen Eischnee leicht darunterheben. Masse über den Beeren verteilen. Auflauf bei mittlerer Hitze etwa 30 Minuten backen. Mit Puderzucker bestreuen.

Clafoutis
Französische Sauerkirschenspeise

1 Pfund Sauerkirschen, 1 Schuß Rum oder Kirschwasser,
2 Eier, 60 g Zucker, 1 Msp Zimt, 40 g Mehl, Dosenmilch,
Zucker, Zimt

Die gewaschenen, nicht entsteinten Kirschen in eine gefettete, flache Auflaufform geben. Alkohol darüberträufeln. Eier und Zucker schaumig rühren, Zimt, Mehl und so viel Dosenmilch zufügen, daß ein dicklicher Eierkuchenteig entsteht. Diesen Teig über die Kirschen verteilen und die Speise bei guter Mittelhitze 20 bis 25 Minuten backen. Der Auflauf ist fertig, wenn bei der Backprobe kein Teig an der Spicknadel hängen bleibt. Die Speise kommt heiß, mit Zucker und Zimt bestreut, auf den Tisch.

Johannisbeerauflauf

³/₄ l Milch, Salz, 185 g Grieß, 60 g Butter, 100 g Zucker,
3 Eier, 3 bittere Mandeln, 500 g Johannisbeeren, Zucker
und Zimt

Die Milch mit wenig Salz zum Kochen bringen, Grieß einrühren und einen Brei kochen. Butter, Zucker und Eigelb schaumig rühren, den abgekühlten Grießbrei und die geriebenen Mandeln sowie die vorbereiteten eingezuckerten Johannisbeeren zufügen. Den steifgeschlagenen Eischnee unterziehen, die Masse in eine gefettete Auflaufform füllen und bei geringer Hitze etwa 40 Minuten zu schöner Farbe backen. Mit Zucker und Zimt bestreut und mit einigen frischen Johannisbeeren garniert anrichten. Dazu wird Fruchtsaft gereicht.

Schwarzwälder Obstauflauf

*6–8 in dünne Scheiben geschnittene Brötchen, abgerie-
bene Schale einer Zitrone, Zucker, 1 Päckchen Vanillezuk-
ker, 750 g Obst (in Scheiben geschnittene Äpfel, Birnen,
Aprikosen oder Pfirsiche), 1 Päckchen in Stifte geschnittene Mandeln, 3 Eier, ½ – ¾ l Milch, Butterflöckchen,
Zucker und Zimt*

Eine gefettete Auflaufform lagenweise mit den Brötchenschei-
ben und dem mit abgeriebener Zitronenschale, Zucker und
Vanillezucker vermischten Obst füllen. Mit Brötchen abdekken, die Mandeln dazwischenstreuen. Eier mit Milch verquirlen, nach Belieben noch etwas süßen und darüber verteilen.
Zuletzt noch einige Butterflöckchen obenauf setzen. Den Auflauf bei mäßiger Hitze 30 bis 40 Minuten backen und mit
Zucker und Zimt bestreut anrichten.

Zwetschgenauflauf

*750 g entsteinte Zwetschgen, abgezogene Mandeln, ¼ l
Milch, 30 g Butter, Salz, 125 g Mehl, 2 Eier, ein TL Backpulver, Zucker und Zimt*

Die Zwetschgen mit jeweils einer Mandel versehen und in
eine gefettete Auflaufform legen. Milch mit Butter und einer
Prise Salz zum Kochen bringen, das gesiebte Mehl unter Rühren zugeben und so lange weiterrühren, bis sich der Teig vom
Topf löst. Unter die etwas erkaltete Teigmasse die mit Backpulver vermischten Eigelb und den Eischnee rühren und über
die Zwetschgen streichen. Den Auflauf bei mittlerer Hitze
etwa 30 Minuten backen. Dazu paßt eine Vanillesauce.

Apfelauflauf

1 kg Äpfel, 3 EL Aprikosenmarmelade, 60 g Zucker,
etwas Zimt, 3 Eier, 9 EL Mehl, ¹/₂ l Milch, 2 EL blättrig
geschnittene Mandeln

Die Äpfel schälen, vierteln, das Kernhaus entfernen, in eine
gefettete, flache Auflaufform legen und mit Aprikosenmarmelade überstreichen. 2 EL Zucker mit Zimt darüberstreuen. Eigelb mit dem restlichen Zucker und dem Mehl vermischen,
Milch langsam zugießen und alles zu einem glatten Teig rühren. Den steifgeschlagenen Eischnee unterziehen und den Guß
über die Äpfel verteilen. Die Mandeln darüberstreuen und die
Speise bei mittlerer Hitze 30 bis 40 Minuten zu schöner Farbe
backen. Der Auflauf wird mit einer Vanillesauce gereicht.

Gebackene Äpfel

1 kg mürbe, saftige Äpfel, 1 Stange Zimt, 1 Stück Zitro-
nenschale, Zucker, 2 EL Rosinen, 1 Päckchen Vanille- oder
Schokoladenpudding ¹/₂ l Milch, 2 Eiweiß, 1 EL Puder-
zucker

Die Äpfel schälen, vierteln, Kernhaus entfernen und mit Zimt,
Zitronenschale, Zucker und wenig Wasser halbweich kochen.
Zimt und Zitronenschale entfernen und die Hälfte des abgetropften Obstes in eine gefettete Auflaufform geben. Rosinen
dazwischenstreuen. Nach Anweisung einen Pudding kochen,
die Hälfte des steifgeschlagenen Eischnees darunterziehen und
über die Äpfel verteilen. Die restlichen Apfelviertel und
zuletzt den restlichen mit Puderzucker vermischten Eischnee
darauf verteilen. Den Auflauf im vorgeheizten Ofen bei mittlerer Hitze etwa 10 Minuten zu schöner Farbe überbacken.
Nach einem Eintopfgericht ein guter Nachtisch.

Karamelreis

150 g Milchreis, 1 Prise Salz, ¹/₂ l Milch, 1 EK Rum, 1 EL Butter, 4 EL Zucker, Saft einer Zitrone und einer kleineren Orange, 500 g geschälte, in kleine Stücke geschnittene, gedünstete Birnen, 2 Eiweiß, 1 gestrichener TL Puderzucker

Reis waschen, mit einer Prise Salz in die kochende Milch geben und auf kleiner Flamme etwa 30 Minuten ausquellen lassen. Rum unter den erkalteten Reis rühren. Butter erhitzen, Zucker zugeben und auf kleiner Flamme bräunen. Topf vom Feuer nehmen und unter Rühren 1 bis 2 EL Wasser, Zitronen- und Orangensaft zugeben. Den Karamelzucker zum Reis geben. Eine gefettete Auflaufform lagenweise mit Reis und abgetropften Birnen füllen. Eiweiß mit Puderzucker zu steifem Schnee schlagen, über den Reis verteilen und den Auflauf bei mittlerer Hitze 25 bis 30 Minuten zu schöner Farbe backen.

Bunter Reis

³/₄ l Milch, Salz, 200 g Milchreis, 100 g Zucker, 2–3 Eier, 200 g Quark, 2 Scheiben Ananas, 1 Apfel, 250 g entsteinte Kirschen oder Mirabellen, 1 kleine Dose Mandarinenspalten, 1 EL Butter, 1 EL Zucker, 1 EL Semmelbrösel

Milch mit wenig Salz zum Kochen bringen, den gewaschenen Reis dazugeben und bei geringer Hitze etwa 30 Minuten ausquellen lassen. Den erkalteten Reis süßen, Eigelb und den schaumig gerührten Quark, Ananas und Apfelstückchen sowie Kirschen und Mandarinenspalten daruntermischen. Das Eiweiß zu steifem Schnee schlagen, unterziehen und die Auflaufmasse in eine gefettete Form füllen. Butter in Flöckchen darüber verteilen, Zucker und Semmelbrösel darüberstreuen und den Auflauf bei mittlerer Hitze etwa 45 Minuten backen.

Wiener Reisauflauf

250 g Reis, 1 l Milch, eine Prise Salz, 100–125 g Zucker, 50 g Butter, 4 Eier, abgeriebene Zitronenschale, 100 g geschälte, geriebene Mandeln, 100 g Sultaninen, Butterflocken

Reis waschen und in Milch mit einer Prise Salz weich kochen. Butter schaumig rühren, Eigelb, Zucker, Zitrone, Mandeln, die gewaschenen Sultaninen, den ausgekühlten Reis und zuletzt den steifgeschlagenen Eischnee beigeben. In eine gebutterte mit Semmelbröseln bestreute Auflaufform füllen, mit Butterflocken bestreuen und bei mäßiger Hitze etwa 1 Stunde im Ofen backen.

Dieser Auflauf kann beliebig variiert werden, indem man den Reis (ohne Sultaninen) im Wechsel mit gedünstetem oder eingezuckertem frischen Obst in die Form gibt, vorzugsweise mit Äpfeln, entsteinten Kirschen, Aprikosen.

Schlesischer Zwiebackauflauf

1 kg mürbe Äpfel oder Birnen, 50 g Sultaninen, 50 g Korinthen, 80 g Zucker, 1/4 TL Zimt, 200 g Zwieback, 1 l Milch, 2 EL Zucker, 3 Eier, Butterflöckchen

Die Äpfel schälen, in dünne Scheiben schneiden, Kernhaus herausschneiden, mit den gewaschenen Sultaninen und Korinthen sowie Zucker und Zimt mischen. Eine gefettete Auflaufform im Wechsel mit Apfelscheiben und Zwieback auslegen. Die Form sollte etwa 3/4 voll sein. Milch mit Zucker und Eiern verquirlen, darübergießen und, wenn die Milch etwas eingezogen ist, mit Butterflöckchen belegen und bei mäßiger Hitze etwa 50 Minuten backen.

Mirabellenauflauf mit Quark

100 g Zucker, 3–4 Eier, 50 g Butter/Margarine, 50 g Grieß, 500 g Sahnequark, 500 g Mirabellen, frische oder aus dem Glas

Zucker, Eigelb und Butter oder Margarine schaumig rühren. Grieß und Quark dazugeben und abschmecken. Mirabellen waschen und entsteinen. Mirabellen aus dem Glas gut abtropfen lassen. Die Früchte unter die Quarkmasse mischen. Zuletzt die Eiweiß steif schlagen, den Eischnee unterheben und die Quark-Obstmasse in eine gefettete Auflaufform geben. Auflauf bei Mittelhitze etwa 35 bis 40 Minuten backen. Die Auflaufform kann auch abwechselnd mit der Quarkmasse und den Mirabellen gefüllt werden.

Variante: Außer Mirabellen können auch Kirschen oder Pfirsichstückchen verwendet werden.

Kanadischer Reisschaum

1/2 l Milch, Salz, 80 g Milchreis, 2 Eier, 5–6 EL Orangenmarmelade, 1 EL heißes Wasser, 1 TL Puderzucker, 1 EL blättrig geschnittene Mandeln, 2 Orangen

Milch mit etwas Salz zum Kochen bringen, den gewaschenen Reis hinzufügen und bei milder Hitze etwa 30 Minuten ausquellen lassen. Eigelb unter den ausgekühlten Reis mischen, Orangenmarmelade mit etwas heißem Wasser verrühren, zu dem Reis geben, in eine gefettete Auflaufform füllen, mit Mandeln bestreuen und bei mittlerer Hitze 15 bis 20 Minuten backen. Eiweiß und Puderzucker zu steifem Schnee schlagen und auf dem Reis verteilen, den Auflauf nochmals bei guter Oberhitze goldbraun überbacken. Mit Orangenschnitzen garnieren.

Obst-Quark-Auflauf

2 Eier, 2 EL Zucker, 5 EL feiner Grieß, 500 g Quark, 1 TL Backpulver, 2 EL in Scheiben geschnittene Mandeln, 4 Scheiben Ananas, 3 Orangen, 1 Banane

Eigelb mit Zucker schaumig rühren und Grieß, Quark, Backpulver und Mandeln zugeben. Steifgeschlagenen Eischnee unterziehen. Ananas- und entkernte Orangenscheiben im Wechsel mit der Quarkmasse in eine gefettete Auflaufform füllen. Die Speise mit Bananenscheiben belegen und bei mittlerer Hitze 40 bis 50 Minuten backen.

Zürcher Apfelbrot

750 g saftige Äpfel, 300 g in Scheiben geschnittenes Weißbrot, 75 g Zucker, Zimt, 2 EL Sultaninen, 2 Eier, 1/2 l Milch, Butterflöckchen

Die Äpfel schälen, vierteln, das Kernhaus entfernen und dann in dünne Scheiben schneiden. Das Weißbrot im Wechsel mit den Apfelscheiben und mit Zimt vermischtem Zucker sowie den Sultaninen in eine gefettete Auflaufform füllen. Die Eier mit der Milch verquirlen und darübergießen. Butterflöckchen daraufsetzen und den Auflauf bei mittlerer Hitze etwa 40 Minuten backen.

Salzburger Brotauflauf

500–750 g altbackenes Schwarzbrot, etwa 1/2 l Milch, 50 g Butter, 60–80 g Zucker, 2–3 Eier, abgeriebene Zitronenschale, 1 gestrichener TL Zimt, 2–3 EL Grieß, 2 EL Madeira, 1 Dose Apfelmus, 1–2 Bananen, Butterflocken

Das Brot in kleine Stücke schneiden, in Milch einweichen, etwas ausdrücken und verrühren. Butter, Zucker und Eigelb schaumig rühren, Gewürze, Grieß, Madeira und zuletzt den steifen Eischnee dazugeben. Die Eimasse mit dem Brot vermischen und im Wechsel mit dem Apfelmus und Bananenscheiben in eine gefettete Auflaufform füllen. Mit Butterflöckchen belegen. Den Auflauf bei mittlerer Hitze etwa 40 Minuten backen. Dazu paßt eine Vanillesauce.

Schweizer Schober

750 g Zwetschgen, 50 g in Stifte geschnittene Mandeln, 80–100 g Butter, 80 g Zucker, 3 Eier, 1 Päckchen Vanillezucker, 200 g Grieß, $1/4$ l saure Sahne, $1/4$ l Milch, 3 EL hellgeröstete, blättrig geschnittene Mandeln

Die Zwetschgen waschen, entkernen und im Wechsel mit den Mandelstiften in eine gefettete, mit Semmelbröseln bestreute, flache Auflaufform geben. Butter, Zucker, Eigelb und Vanillezucker schaumig rühren und Grieß, saure Sahne und Milch dazugießen. Eiweiß zu steifem Schnee schlagen, unterziehen und die Grießmasse über den Zwetschgen verteilen. Den Auflauf bei mäßiger Hitze 50 bis 60 Minuten backen und mit den Mandeln bestreuen. Dazu paßt eine Fruchtsauce.

Eierkuchenauflauf

4–5 Eierkuchen, 50 g blättrig geschnittene Mandeln, 500 g ausgesteinte Kirschen, 3 Eier, abgeriebene Zitronenschale, $1/8$–$1/4$ l Milch oder Sahne, 2 Päckchen Vanillezucker

Die Eierkuchen in dünne Streifen schneiden und in eine gefettete Auflaufform geben. Mandeln und Kirschen hinzufügen. Eier verquirlen, Zitronenschale und Milch unterrühren und über die Eierkuchen gießen. Den Auflauf bei mittlerer Hitze etwa 20 Minuten backen. Der Guß muß etwas fest sein. Mit Vanillezucker bestreut anrichten. Dazu Kompott reichen.

Überbackenes Quarkdessert

200 g Sahnequark, 150 g Zucker, 2–3 Eier, 2–3 Scheiben
Pumpernickel, 400 g Kuchenreste, z. B. Biskuitkuchen,
Löffelbiskuits, gerührter Gugelhupf, 200 g Erdbeeren

Quark mit 80 g Zucker und Eigelb gut verrühren. Pumpernickel zerkrümeln und dazugeben. Gut vermischen. Kuchenreste ebenfalls zerkrümeln und die Erdbeeren vorbereiten, waschen, abtropfen lassen und einmal teilen. Eine gefettete Auflaufform im Wechsel mit den Kuchenkrümeln und der Quarkmasse sowie den Erdbeeren füllen. Zuletzt Eiweiß steif schlagen, am besten mit dem restlichen Zucker, damit es eine ganz feste Schaummasse gibt, und diese über die letzte Schicht verteilen. Den Auflauf im vorgeheizten Backofen bei geringer Hitze etwa 15 Minuten ganz leicht überbacken.

Palatschinken im Ofen

4 dünne Pfannkuchen, 500 g Speisequark, 3 EL Zucker,
Zitronensaft, in wenig Apfelsaft gedünstete Apfelstückchen von 2 Äpfeln, 2 EL Rosinen, 2 Eier, 1 Päckchen
Vanillezucker, 1/4 l Milch, Puderzucker

Die Pfannkuchen in gefettete Auflaufform schichten und jeweils dazwischen den mit Zucker und Zitronensaft schaumig gerührten Quark und die Apfelstückchen mit Rosinen verteilen. Eigelb mit Milch und Vanillezucker verquirlen, über die Pannkuchen gießen und diese bei mittlerer Hitze 10 bis 15 Minuten im vorgeheizten Ofen backen. Zuletzt den mit Puderzucker steifgeschlagenen Eischnee darübergeben und zu goldgelber Farbe fertig backen. Hiervon sind besonders Kinder begeistert.

Hermannstadter Quarkauflauf

*4 Eier, 100 g Zucker, 80 g Margarine, 50 g Grieß, ¹/₂
Päckchen Backpulver, 500 g Quark, abgeriebene Schale
und Saft einer Zitrone, 1 EL Kirschgeist, 4 Bananen, 2 bis
3 EL blättrig geschnittene Mandeln*

Eigelb, Zucker und Margarine schaumig rühren, Grieß, Backpulver und Quark sowie Zitronenschale und -saft, Kirschgeist
und die in Scheiben geschnittenen Bananen daruntermischen.
Zuletzt den steifgeschlagenen Eischnee unterziehen und die
Masse in eine gefettete Auflaufform füllen. Die Speise bei
mittlerer Hitze 35 bis 45 Minuten backen und mit Mandeln
bestreut servieren. Dazu paßt eine Schokoladen- oder Fruchtsauce.

Überbackener Rhabarber

*3 EL Semmelbrösel, 500 g Rhabarber, 100 g Zucker, 3
Eier, 3 EL Grieß, ¹/₈ l saure Sahne, Puderzucker*

Eine flache, gefettete Auflaufform mit Semmelbröseln aus-
streuen. Rhabarber abziehen, in kleine Stücke schneiden, die
Hälfte des Zuckers darüberstreuen und eine Stunde beiseite
stellen. Den abgetropften Rhabarber in die Form legen. Eigelb
mit dem restlichen Zucker schaumig rühren, Grieß, Sahne und
den Rhabarbersaft dazugeben. Darauf achten, daß der Guß
nicht zu dünn ist. Zuletzt den steifgeschlagenen Eischnee
unterziehen und die Masse über dem Rhabarber verteilen. Bei
mittlerer Hitze 25 bis 30 Minuten backen und heiß oder kalt,
mit Puderzucker bestreut, servieren.
Dieses Dessert kann auch mit jedem anderen beliebigen Obst
zubereitet werden.

Bananendessert aus der Südsee

4 Bananen, Saft von einer Zitrone und einer Orange, 2 EL Rum oder ein beliebiger Likör, 3 EL geraspelte Kokosflocken, Butterflöckchen

Die Bananen schälen, der Länge nach teilen und in eine gefettete Auflaufform legen. Die Fruchtsäfte und den Rum zufügen und das Ganze mit Kokos- und Butterflocken bestreuen. Bei geringer Hitze etwa 15 Minuten überbacken. Köstlich schmeckt die Speise mit einem beliebigen Fruchtsaft übergossen.

Orangendessert

100 g Zucker, 4 Eier, 125 g geriebene Haselnüsse, 25 g Kartoffelmehl, 2–3 Orangen

Zucker und Eigelb schaumig rühren, Haselnüsse und Kartoffelmehl zufügen und zuletzt den steifgeschlagenen Eischnee darunterheben. Orangen schälen, entkernen, in kleine Stücke schneiden und in eine gefettete, flache Auflaufform legen. Die Haselnußmasse darüber verteilen und das Dessert bei mittlerer Hitze 20 bis 25 Minuten backen. Dazu paßt eine Vanille- oder eine beliebige Fruchtsauce.

Götterspeise

3 Bananen, Zitronensaft, 4 Eiweiß, 1–2 EL Puderzucker, 250 g Erdbeeren, eine kleine Dose Ananasstückchen

Die Bananen schälen, in Scheiben schneiden, mit Zitronensaft beträufeln und durchziehen lassen. Eiweiß mit Puderzucker steif schlagen. Eine gefettete Auflaufform mit Bananen, halbierten, gezuckerten Erdbeeren und Ananas im Wechsel füllen. Dazwischen immer etwas Eischnee verteilen. Den größten Teil des Eischnees als oberste Lage über das Obst streichen. Das Dessert im vorgeheizten Backofen bei schwacher Hitze etwa 10 Minuten überbacken.

Erdbeersoufflé

5–6 Löffelbiskuits, 500–750 g Erdbeeren, 1 Päckchen Vanillezucker, 1 EL Zucker, 4 EL Eierlikör, 5 Eier, 50 g Puderzucker

Die zerkrümelten Löffelbiskuits in eine gefettete Auflaufform geben, darüber die gewaschenen, gesäuberten, gut abgetropften und kleingeschnittenen Erdbeeren mit Zucker und Vanillezucker verteilen. Den Eierlikör (evtl. kann er mit etwas Weinbrand oder Milch verdünnt werden) darüberträufeln. Eigelb mit Zucker schaumig rühren, steifgeschlagenen Eischnee unterziehen und die Soufflémasse über das Obst streichen. Das Soufflé bei mäßiger bis mittlerer Hitze, ohne in den Backofen zu schauen, 15 bis 20 Minuten goldgelb backen. Das Soufflé muß sofort aufgetragen werden, da es sehr schnell zusammenfällt.

Schokoladenauflauf

2 Tafeln bittere Schokolade, 80 g Butter oder Margarine, 4 Eier, 80 g Zucker, 1 EL Zitronensaft, 4 EL Semmelbrösel, 1 EL Kirschwasser, 4 Aprikosen, Zucker

Die Schokolade im Wasserbad mit der Butter zergehen lassen. Eigelb, Zucker und Zitronensaft sowie Semmelbrösel und Kirschwasser darunterrühren. Steifen Eischnee unterziehen. Die Schokoladenmasse in eine gefettete, flache Auflaufform füllen und bei mittlerer Hitze 20 bis 30 Minuten backen. Mit abgezogenen, eingezuckerten Aprikosenstückchen belegen. Sofort servieren.

Apfelauflauf aus Virginia

750 g saftige Äpfel, 1 TL Salz, 50 g brauner Zucker, 2 EL Mehl, 1 TL Essig, gut 1/8 l Wasser, 1 Stückchen Butter, Zimt – Teig: 1 Tasse Mehl, 1 Prise Salz, 1 TL Backpulver, 2 1/2 EL Nierenfett, 3/4 Tasse Milch

Die Äpfel schälen, vierteln, entkernen und in Scheiben schneiden. In eine gefettete Auflaufform legen. 1 TL Salz mit dem braunen Zucker und den 2 EL Mehl vermischen, in einen Topf geben, Essig und Wasser zugießen und so lange rühren, bis die Masse leicht dick wird. Dann über die Äpfel verteilen. Für den Teig Mehl mit Salz und Backpulver vermischen, das zerkleinerte Nierenfett dazugeben, die Milch zugießen und alles gut vermischen. Über die Apfelscheiben streichen und im vorgeheizten Backofen bei guter Hitze etwa 30 bis 40 Minuten backen.

Himbeerauflauf Verena

375 g Himbeeren, 2 EL Weinbrand oder Himbeergeist, 2 Eier, 2 EL Wasser, 100 g Zucker, 1 gestr. TL Backpulver, 80 g Mehl, 30 g geriebene Mandeln, 1–2 EL Kakao oder geriebene Schokolade

Die Himbeeren verlesen und in eine gefettete Auflaufform legen. Weinbrand darübergießen. Eiweiß und kaltes Wasser steif schlagen. Zucker, Eigelb, das mit Backpulver vermischte, gesiebte Mehl und die Mandeln daruntermischen. Die Hälfte der Masse über die Himbeeren streichen. Kakao oder Schokolade unter den restlichen Teig heben und damit den Auflauf abdecken. Diesen bei mittlerer Hitze 50 bis 60 Minuten zu schöner Farbe backen. Mit Schlagsahne oder Weinsauce ein beliebtes Dessert.

Soufflé Surprise

5 Eier, 180 g Zucker, 1 Päckchen Vanillezucker, 1 Likör-
glas Pernod, 2 EL Schokoladeraspeln

Eigelb mit Zucker und Vanillezucker schaumig rühren. Pernod
und den steifgeschlagenen Eischnee unterheben. Soufflémasse
in eine gebutterte, flache Auflaufform füllen und bei mittlerer
Hitze etwa 15 Minuten backen. Nicht in den Ofen schauen!
Mit Schokoladeraspeln bestreuen.

Überbackener Apfelschaum

1 Dose Apfelmus, 1 saftiger Apfel, abgeriebene Zitronen-
schale, 3–4 EL gemahlene Haselnüsse, 2–3 Eiweiß, 2 EL
Puderzucker

Unter das Apfelmus den geschälten, in kleine Stücke geschnittenen Apfel, die Zitronenschale und die Haselnüsse mischen.
Das Eiweiß mit Puderzucker zu steifem Schnee schlagen, unter
die Apfelmasse heben, in eine gefettete, flache Auflaufform
füllen und das Ganze im vorgeheizten Backofen bei mittlerer
Hitze 10 bis 15 Minuten backen.

Zitronensoufflé

2 gehäufte TL Kartoffelmehl, 30–40 g Zucker, 4 Eier,
¼ l Milch, Saft und abgeriebene Schale von 2 Zitronen,
Puderzucker

Das Kartoffelmehl mit Zucker und Eigelb glattrühren. Milch,
Saft und Schale der Zitronen und zuletzt den steifgeschlagenen Eischnee dazugeben und die Masse in eine gefettete Auflaufform oder in Portionsförmchen füllen. Das Soufflé in vorgeheiztem Ofen bei mittlerer Hitze 20 bis 25 Minuten backen
und mit Zucker überpudert sofort servieren.

Williams-Birnen

4 reife, saftige Williams-Birnen, 4 Eier, 60 g Zucker, abgeriebene Schale einer halben Zitrone, 1–2 TL Birnenschnaps oder Cointreau, 60 g Mehl, 2 EL blättrig geschnittene Mandeln

Die Birnen schälen, halbieren, Kernhaus entfernen und in eine gefettete Auflaufform legen. Eigelb, Zucker und Zitronenschale schaumig rühren, Alkohol zugeben, Mehl und zuletzt den steifgeschlagenen Eischnee unterziehen. Diese Masse über den Birnen verteilen. Mandeln darüberstreuen und bei mäßiger Hitze 35 Minuten backen. Dazu Schokoladensauce.

Quarkdessert

250 g Speisequark, 2 EL Johannisbeergelee, abgeriebene Zitronenschale, Saft von einer halben Zitrone, 3 Eier, 60 g Puderzucker, 30 g Kartoffelmehl

Den Quark mit Johannisbeergelee, Zitronenschale und -saft vermischen und in eine gefettete, flache Auflaufform füllen. Eigelb und Zucker schaumig rühren, Kartoffelmehl und zuletzt den steifgeschlagenen Eischnee zufügen. Diese Eimasse über dem Quark verteilen. Auf die unterste Schiene des schwach vorgeheizten Backofens schieben und bei mäßiger Hitze 20 bis 25 Minuten backen. Ofen nicht öffnen!

Schokoladensoufflé

60 g bittere Schokolade, 2 EL Weinbrand oder Rum, 1 EL Milch, 30 g Zucker, 2 EL geriebene Mandeln, 3 Eier

Die in kleinere Stücke gebrochene Schokolade mit Weinbrand und Milch im Wasserbad zergehen lassen. Zucker, Mandeln und Eigelb zufügen und zuletzt den steifgeschlagenen Eischnee unterrühren. Die Masse in eine gut gefettete, flache Auflauf-

form füllen und im nicht vorgeheizten Backofen die ersten 10
Minuten bei starker Hitze und die weiteren 5 bis 10 Minuten
bei schwacher Hitze, ohne den Ofen zu öffnen, backen. Sofort
servieren und Weinschaum-, Frucht- oder Vanillesauce dazu
reichen.

Apfel-Charlotte

*750 g mürbe Äpfel, 1 Stück Zitronenschale, 1 Stange
Zimt, Zucker, 30 g Datteln, 1 kleine Dose Mandarinenspalten, 150 g Löffelbiskuits, Rum*

Die Äpfel schälen, in dünne Scheiben schneiden und mit Zitronenschale, Zimt, etwas Zucker und wenig Wasser weich dünsten. Eine gefettete Auflaufform mit Löffelbiskuits auslegen.
Die Äpfel, mit den kleingeschnittenen Datteln und abgetropften Mandarinen vermischt, darüberfüllen. Die Speise mit Löffelbiskuits abdecken und diese mit Mandarinensaft und etwas
Rum befeuchten. Das Dessert bei mittlerer Hitze etwa 15
Minuten backen. Eine Karamelsauce schmeckt gut dazu.

Stachelbeersoufflé

*750 g Stachelbeeren, 200 g Zucker, 1 Stückchen Zimt, 3
Zwiebäcke, 1 EL Weinbrand, 3 Eier, Zucker und Zimt*

Die Stachelbeeren waschen, entstielen und mit Zucker und
Stangenzimt sowie wenig Wasser weich kochen. Das Mus
durch ein Sieb passieren, die zerdrückten Zwiebäcke, Weinbrand und Eigelb unterrühren und das Ganze mit dem Schnee-
besen oder Handrührgerät schaumig schlagen. Unter die etwas
abgekühlte Fruchtmasse den steifen Eischnee ziehen. In einer
gefetteten Auflaufform im vorgeheizten Ofen, bei mittlerer
Hitze, etwa 20 Minuten backen. Das Soufflé mit Zucker und
Zimt bestreuen und mit einer Fruchtsauce sofort servieren.

Weinschäberle

100 g Zucker, 4 Eier, 100 g Semmelbrösel, abgeriebene Schale von einer halben Orange, 100 g geriebene Hasel-nüsse, 1 Päckchen Vanillezucker, 1 EL Eierlikör, ¹/₄ l Weißwein, nach Belieben Schlagsahne

Zucker mit Eigelb schaumig rühren, die übrigen Zutaten, aus-genommen Weißwein, beigeben und zuletzt den steifen Ei-schnee darunterziehen. Die Masse in eine gefettete, mit Sem-melbröseln oder geriebenen Haselnüssen bestreute Form fül-len und bei mittlerer Hitze etwa 30 bis 40 Minuten backen. Nach kurzem Abkühlen den erwärmten Wein darübergießen. Etwas einziehen lassen und die Speise, auf Desserttellern ver-teilt, mit oder ohne etwas Schlagsahne, anrichten.

Überraschungsdessert

250 g gezuckerte Erdbeeren, 4 Scheiben Ananas, 1 Banane, 75 g Zucker, 4 Eier, abgeriebene Schale einer Zitrone, 10 g Kartoffelmehl, 2 EL blättrig geschnittene Mandeln, 1 Joghurt

Eine leicht gefettete Auflaufform mit den vorbereiteten, hal-bierten Erdbeeren, Ananasstückchen und Bananenscheiben fül-len. Zucker, Eigelb, Zitronenschale und Kartoffelmehl cremig rühren, unter den steifgeschlagenen Eischnee mischen und über die Früchte verteilen. Mandeln darüberstreuen. Das Des-sert bei mittlerer Hitze 15 bis 20 Minuten zu schöner Farbe backen. Mit schaumig geschlagenem Joghurt übergossen an-richten.

Alphabetisches Register

Register nach Kapiteln